De omvang van het geding

De omvang van het geding
Over de betekenis en toepassing van art. 8:69 Awb

Ars Aequi Libri
Nijmegen 2004

Ars Aequi Cahiers
Staats- en bestuursrecht
deel 10

Serie Ars Aequi Cahiers Staats- en bestuursrecht:

© 2004 Ars Aequi Libri, Nijmegen

ISBN 90 6916 517 1
NUR 823
Omslagontwerp: Bea Oudejans

Voorwoord

Art. 8:69 Awb geeft invulling aan de inhoud en omvang van de rechterlijke toetsing in een bestuursrechtelijke procedure. Aan de hand van dit artikel dient de rechter 'de omvang van het geding' te bepalen. Art. 8:69 Awb vormt dan ook het 'hart' van de bestuursrechtspraak.

Bij de uitleg en toepassing van art. 8:69 Awb bestaat veel terminologische verwarring. Daarnaast is zowel in de literatuur als in de rechtspraak sprake van fundamentele verschillen in inzicht over de wijze waarop art. 8:69 Awb moet worden toegepast.

In dit cahier wordt de grote hoeveelheid rechtspraak over art. 8:69 Awb aan de hand van een aantal thema's in kaart gebracht en verhelderd.

Met dank aan K.J. de Graaf, A.T. Marseille, B.J. Schueler en G.J. Knijp voor hun commentaar op het concept voor dit boekje.

Haren, maart 2004
R.H. de Bock

Inhoud

HOOFDSTUK 1
Inleiding

1.1 Art. 8:69 Awb

Centraal in dit boek staat art. 8:69 van de Algemene wet bestuursrecht (Awb). Dit artikel luidt als volgt:

Art. 8:69

'1. De rechtbank doet uitspraak op de grondslag van het beroepschrift,
de overgelegde stukken, het verhandelde tijdens het vooronderzoek en het onderzoek ter zitting.
2. De rechtbank vult ambtshalve de rechtsgronden aan.
3. De rechtbank kan ambtshalve de feiten aanvullen.'

Art. 8:69 Awb geldt niet alleen voor de procedure bij de rechtbank, maar ook in hoger beroep.[1]
Bij eerste lezing geeft lid 1 van art. 8:69 Awb een opsomming van het materiaal waarop de rechter haar uitspraak moet laten berusten. De rechter mag geen uitspraak doen op basis van andere stukken dan het beroepschrift, de overgelegde stukken, het verhandelde tijdens het vooronderzoek of het onderzoek ter zitting.

Een ambtenaar wordt ontslagen wegens omkoping. Hij vecht zijn ontslag aan bij de rechtbank, waar hij stelt dat er geen hard bewijs tegen hem is, er zijn alleen maar geruchten. Net wanneer de rechter, na de zitting, de uitspraak wil gaan schrijven, staat er een uitvoerig artikel in de krant, waarin een boekje open wordt gedaan over de betreffende ambtenaar, die met naam en toenaam wordt genoemd. Er worden ook kopieën getoond van brieven, die rechtstreeks bewijs lijken te zijn voor de omkoping. Het voorschrift van art. 8:69 lid 1 Awb verbiedt de rechtbank haar uitspraak (mede) te baseren op het krantenartikel.

De rechtspraak over lid 1 is echter aanzienlijk gecompliceerder. Tal van onderwerpen blijken onder de paraplu van lid 1 behandeld te worden. In de kern gaan die onderwerpen telkens over de volgende vraag: wat is precies het onderwerp van de rechterlijke toetsing in een bestuursrechtelijke procedure? Een eenduidig antwoord op deze vraag is er niet, zo zal blijken.

---

1   Om die reden zal ik het verder steeds hebben over 'de rechter'. Zie voor de Centrale Raad van Beroep art. 21 Beroepswet (voor zover de CRvB optreedt als eerstelijnsrechter geldt art. 19 Beroepswet); voor de Afdeling bestuursrechtspraak van de Raad van State art. 39 Wet RvS (voor zover de ABRS optreedt als eerstelijnsrechter geldt art. 36 Wet RvS); voor het College van Beroep voor het bedrijfsleven art. 22 Wbbo (voor zover het CBB optreedt als eerstelijnsrechter geldt art. 19 Wbbo). Uit art. 27 Awr volgt dat art. 8:69 Awb ook van toepassing is in het fiscale procesrecht; in de toekomst ook in hoger beroep (art. 27j voorstel Wet belastingrechtspraak in twee feitelijke instanties (TK 29 251)). In Wet Mulderzaken geldt hoofdstuk 8 van de Awb niet (art. 9 lid 1 Wahv).

Lid 2 en lid 3 lijken duidelijker te zijn: een *plicht* voor de rechter om rechtsgronden aan te vullen, en een *bevoegdheid* om feiten aan te vullen. Toch blijkt ook de toepassing van deze bepalingen lastig te zijn, onder meer door de doorwerking van lid 1. De jurisprudentie hierover is dan ook niet eenduidig.

Bij de uitleg en interpretatie van art. 8:69 Awb bestaat er veel terminologische verwarring. Een kleine greep uit de gebruikte begrippen: omvang van de toetsing, omvang van het geding, gronden van het beroep, grondslag van het beroep, buiten de grieven treden, buiten de grondslag van de vordering gaan, ambtshalve toetsing, ambtshalve gronden bijbrengen. De inhoud van deze begrippen is vaak niet duidelijk omlijnd.

De belangrijkste oorzaak van de terminologische onduidelijkheid is dat in de bestuursrechtelijke jurisprudentie een heldere en consistente omschrijving van de gebruikte begrippen ontbreekt. Hierbij speelt natuurlijk een rol dat er in het bestuursrecht niet één hoogste rechter is, zodat elk appelcollege naar eigen inzicht invulling geeft aan art. 8:69 Awb. Verder heeft het ontbreken van een rechtseenheidsvoorziening – in de vorm van cassatieberoep – tot gevolg dat er geen toezicht is op de kwaliteit van de motivering van rechterlijke uitspraken. Het feit dat er nogal eens inconsequenties zijn in de wijze waarop toepassing wordt gegeven aan art. 8:69 Awb, blijft daardoor zonder gevolgen.

Het is niet te veel gezegd dat er over geen onderwerp in het bestuursrecht zo veel discussie is, als over art. 8:69 Awb. Slechts over één ding bestaat overeenstemming: er is geen duidelijkheid over de toepassing van art. 8:69 Awb. Voor de één is dit een juridische lekkernij[2]; voor de ander reden tot wanhoop. Zo is al voorgesteld een prijsvraag uit te schrijven voor verduidelijking van art. 8:69 Awb.[3] Het is echter maar de vraag of de rechterlijke worsteling met art. 8:69 Awb te wijten is aan de *wettekst*. In het slothoofdstuk zal ik daarop nog kort ingaan. Eerst is echter de indeling van dit boekje aan de orde.

1.2 Reikwijdte en inhoud van de toetsing

De vraag naar het onderwerp van de toetsing in een bestuursrechtelijke procedure heeft twee aspecten. Dit is in de eerste plaats het kwantiteitsaspect: *hoeveel* moet de rechter toetsen. Ik duid dit aan als de *reikwijdte* van de toetsing. Dit onderwerp wordt besproken in de hoofdstukken 2 en 3.

De vraag naar het onderwerp van de toetsing heeft ook een *kwaliteitsaspect:* hoe, of waaraan, moet de rechter toetsen. Hier gaat het over de *inhoud* van de toetsing, die aan de orde zal komen in de hoofdstukken 4 en 5.

> B&W beslissen negatief op een aanvraag voor een bouwvergunning voor het verbouwen en uitbreiden van een kantoor, omdat het bestemmingsplan dat niet toestaat.

---

2   H.E. Bröring in zijn noot bij Rb Assen 3 juli 1998, AB 1998, 319.
3   D. Allewijn, Finaal achter het besluit, in: *De taakopvatting van de rechter* (red. A.F.M. Brenninkmeijer), Den Haag 2003, p. 93-100, p. 98.

Een belanghebbende stelt alleen beroep in tegen de weigering van vergunning voor verbouwing. Mag of moet de rechter bij de beoordeling ook de weigering van vergunning voor uitbreiding betrekken? Deze vraag heeft betrekking op de reikwijdte van de toetsing.

In zijn beroepschrift doet belanghebbende een beroep op het vertrouwensbeginsel: de wethouder heeft hem toegezegd dat de vergunning zou worden verstrekt. Mag of moet de rechter haar beoordeling beperken tot dit argument, of dient zij ook na te gaan of B&W het bestemmingsplan op juiste wijze hebben toegepast? Hier gaat het over de inhoud van de toetsing.

De scheiding tussen reikwijdte en inhoud van de toetsing is niet altijd scherp te trekken. Het onderscheid is niet meer dan een hulpmiddel om de veelheid aan rechtspraak zo goed mogelijk te ordenen. Bij de bespreking van het trechtermodel in hoofdstuk 8 en het hoger beroep in hoofdstuk 9, is het onderscheid slechts op de achtergrond aanwezig.

In hoofdstuk 6 is aan de orde lid 3 van art. 8:69 Awb: de aanvulling van feiten. Hoofdstuk 7 behandelt de goede procesorde.

Vaak hebben onderwerpen onderling raakvlakken en worden zij op meerdere plaatsen aan de orde gesteld. Om zo min mogelijk in herhaling te vervallen, wordt dan verwezen naar de andere relevante paragrafen.

1.3 Verantwoording

Het doel van dit boek is structuur aan te brengen in de grote hoeveelheid rechtspraak over art. 8:69 Awb. Daarbij streef ik ernaar de rechtspraak zo veel mogelijk te systematiseren, hoewel dat onvermijdelijk betekent dat er nuances verloren gaan. De verscheidenheid in de rechtspraak is namelijk zo groot, dat naast bijna elke uitspraak een andere uitspraak kan worden gelegd, die mogelijk een andere kant opwijst.

Het aanbrengen van structuur betekent ook dat ik keuzes maak. Deze zijn voor discussie vatbaar. Zonder het maken van keuzes is ordening echter niet mogelijk. Zo veel mogelijk zal ik aangeven waar verschillende denkrichtingen bestaan.

Ik zal mij met name richten op de rechtspraak van de Centrale Raad van Beroep en de Afdeling bestuursrechtspraak van de Raad van State, omdat dit de grootleveranciers van jurisprudentie over art. 8:69 Awb zijn. Incidenteel wordt ook verwezen naar rechtspraak van het College van Beroep voor het bedrijfsleven en van de belastingkamer van de Hoge Raad.

Ten slotte nog iets over de terminologie. Hier en daar gebruik ik andere begrippen dan elders in de literatuur. Waar dat aan de orde is, zal ik dat steeds toelichten.

Rechtspraak en literatuur zijn verwerkt tot 1 januari 2004.

HOOFDSTUK 2
Reikwijdte van de toetsing: de grenzen van het besluit

2.1 Inleiding

Bij de vraag naar de afbakening van de omvang van de toetsing, is eerst aan de orde wat de *reikwijdte* is van de toetsing in een bestuursrechtelijke procedure. Dit is het *kwantiteitsaspect* van de omvang van de toetsing: 'hoeveel' moet er getoetst worden, wat is het *object* van de toetsing. Soms wordt hier gesproken over het *voorwerp* van het *geding*.

Het belangrijkste vraagpunt bij de bepaling van de reikwijdte van de toetsing is of het besluit waartegen bezwaar of beroep wordt ingesteld, *in zijn geheel* moet worden getoetst, of dat alleen die onderdelen van het besluit moeten worden getoetst, waartegen door de belanghebbende bezwaren zijn aangevoerd. Voordat in hoofdstuk 3 op die vraag wordt ingegaan, zal echter eerst een beperking van de omvang van de bestuursrechtelijke toetsing worden behandeld die voor de rechtspraktijk van minstens zo veel belang is. Dat is de beperking die wordt gevormd door de grenzen van het besluit.

2.2 Art. 1:3 Awb

De belangrijkste beperking van de bestuursrechtelijke toetsing is dat alleen tegen *een besluit* bezwaar en beroep kan worden ingesteld.

> Art. 1:3 lid 1 Awb definieert een besluit als volgt: '*een schriftelijke beslissing van een bestuursorgaan, inhoudende een publiekrechtelijke rechtshandeling*'.
> In art. 6:2 Awb en art. 8:1 Awb worden enkele uitbreidingen aan het besluitbegrip gegeven.
> Ook bijzondere wetten kunnen bezwaar en beroep mogelijk maken tegen andere handelingen dan besluiten. Volgens art. 6:1 Awb zijn dan de Awb-bepalingen over bezwaar en beroep van overeenkomstige toepassing.

Alleen wanneer sprake is van een besluit in de zin van art. 1:3 Awb, kan de rechtzoekende aanspraak maken op bestuursrechtelijke rechtsbescherming.

Het besluit speelt een centrale rol in de Awb.[4] Niet alleen omdat de aanwezigheid van een besluit een vereiste is om toegang te krijgen tot de bestuursrechtelijke rechtsbescherming. Daarnaast verklaart de Awb een aantal materieelrechtelijke nor-

---

4   Zie hierover en over de vraag wanneer sprake is van een besluit, F.J. van Ommeren & G.A. van der Veen, *Het Awb-besluit*, Nijmegen 1998.

men en formele voorschriften van toepassing op besluiten. Denk bijvoorbeeld aan het zorgvuldigheidsbeginsel (art. 3:2 Awb).

Dit uitgangspunt volgt uit art. 8:1 lid 1 Awb, waarin is bepaald dat een belanghebbende tegen een besluit beroep bij de rechtbank kan instellen. Hierbij moet men wel bedacht zijn op art. 7:1 lid 1 Awb. Hierin staat dat degene aan wie het recht is toegekend om beroep in te stellen tegen een besluit, daartegen eerst bezwaar moet maken.

Op deze hoofdregel bestaan enkele uitzonderingen, omschreven onder a t/m d van art. 7:1 lid 1 Awb.

Derhalve kan in beginsel slechts beroep bij de rechtbank worden ingesteld tegen een besluit op bezwaar; de deur naar de bezwaarprocedure gaat pas open wanneer er een besluit in de zin van art. 1:3 lid 1 Awb is.

Uit deze systematiek vloeit voort dat een besluit op bezwaar altijd als een 1:3-besluit moet worden aangemerkt, ook wanneer het primaire besluit zelf niet aan de vereisten van art. 1:3 voldoet. Anders gezegd: wanneer tegen een beslissing die niet voldoet aan de eisen van art. 1:3, bezwaar wordt gemaakt, kan tegen de beslissing op bezwaar altijd beroep worden ingesteld bij de rechtbank. De rechter zal in zo'n geval oordelen dat het bezwaar niet-ontvankelijk had moeten worden verklaard (als dat niet al gebeurd was) en het besluit op bezwaar vernietigen.[5]

Het feit dat alleen tegen een besluit bestuursrechtelijke rechtsbescherming wordt geboden, brengt met zich mee dat in beginsel slechts dat 'eigenlijke besluit' vatbaar is voor bezwaar en beroep. Alleen wat dáár binnen valt, kan in bezwaar of beroep ter toetsing worden voorgelegd. Wat buiten die grenzen valt, valt in beginsel buiten de bestuursrechtelijke rechtsbescherming en daarmee buiten de reikwijdte van de toetsing.
Dit betekent in de eerste plaats dat de rechter als regel geen oordeel mag geven over vragen waarover in het besluit geen beslissing is genomen, hoe belangrijk voor partijen de beantwoording van die vragen wellicht is. Wanneer de rechter dat toch doet, treedt de rechter 'buiten de omvang van het geding'.

In de praktijk leidt dit op het oog zo eenvoudige criterium, nog wel eens tot problemen.[6] Zo beoordeelde de rechtbank Den Haag – waarschijnlijk meegesleept door de discussie van partijen daarover – de inrichtingsmaatregelen van een homo-ontmoetingsplaats, terwijl het besluit dat ter toetsing voorlag, uitsluitend betrekking had op de *aanwijzing* van een bepaalde locatie als homo-ontmoetingsplaats. Daarmee was de rechtbank buiten de omvang van het geding getreden.[7]

---

5   CRvB 27 augustus 1996, JB 1996, 233.
6   Zie bijv. ABRS 3 september 1998, AB 1998, 422 m.nt. AvH.
7   ABRS 13 juni 2000, JB 2000, 217.

Om te bepalen waarover de rechter een oordeel moet geven, moet dus eerst worden bekeken wat precies de inhoud van het besluit is.

De inhoud van het besluit kan echter ook gebrekkig zijn, en niet gaan waarover het wel zou moeten gaan. In dat geval kunnen in bezwaar en beroep kwesties aan de orde worden gesteld, die niet in het besluit zijn behandeld.

Iemand vraagt bij het Uitvoeringsinstituut werknemersverzekeringen (Uwv) zowel een arbeidsongeschiktheidsuitkering als een werkloosheidsuitkering aan. In het besluit dat op deze aanvraag wordt genomen, wordt alleen een beslissing genomen over de arbeidsongeschiktheidsuitkering. Over de werkloosheidsuitkering vermeldt het besluit niets.

In beroep bij de rechter kan dit verzuim aan de orde worden gesteld. De rechter zal dan het bestuursorgaan opdragen alsnog een beslissing te nemen op het verzoek om een werkloosheidsuitkering.

Hieruit blijkt dat de vraag naar de inhoud van het besluit niet alleen *feitelijk* moet worden beantwoord – wat staat er in het besluit –, maar ook *normatief*: wat had er in het besluit moeten staan. Daarbij moet ook een eventueel aan het besluit voorafgaande aanvraag worden betrokken (zie hierover nader 2.6).

2.3 Totstandkoming van een besluit

Veel bestuursrechtelijke normen hebben betrekking op de totstandkoming van een besluit.

Art. 3:2 Awb bepaalt heel algemeen dat een bestuursorgaan bij de voorbereiding van een besluit de nodige kennis omtrent de relevante feiten en de af te wegen belangen verzamelt. Daarnaast zijn er echter tal van specifieke normen, zowel in de Awb als in bijzondere wetten, waarin regels worden gegeven over de wijze waarop een besluit moet worden voorbereid en genomen.

De schending van voorschriften in de fase van de totstandkoming van een besluit kan in bezwaar en beroep aan de orde worden gesteld.

Zo kan het bestuursorgaan verzuimd hebben een ontwerpbesluit ter inzage te leggen volgens de regels van art. 3:21 Awb.

In dit opzicht strekt de toetsing van een besluit zich verder uit dan alleen de *inhoud* van het besluit. Ook de totstandkoming van het besluit valt binnen de bestuursrechtelijke toetsing. De grenzen van het besluit omvatten dus óók de *totstandkoming* van dat besluit.

Niet de gehele voorfase van de totstandkoming van een besluit is onderwerp van de bestuursrechtelijke toetsing. Vergelijk HR 26 november 1999, NJ 2000, 561.

Hierna zal echter kortweg worden gesproken over de inhoud van het besluit.

2.4 Onderscheid besluit – schriftelijke kennisgeving

Bij de bepaling van de precieze inhoud van een besluit gaat het om het *eigenlijke* besluit. Daarom is het belangrijk om een onderscheid te maken tussen de schriftelijke kennisgeving waarin het besluit is vervat – dat is dus de brief die de belanghebbende van het bestuursorgaan ontvangt – en het eigenlijke besluit. Want vaak staat er in de schriftelijke kennisgeving van het besluit veel méér dan alleen het eigenlijke besluit.

Er wordt wat af gecorrespondeerd tussen bestuursorganen en burgers. Vragen worden beantwoord, inlichtingen worden verstrekt, uitleg wordt gegeven, plannen worden gemaakt en toegelicht, toezeggingen en beloftes worden gedaan, werkzaamheden worden aangekondigd, waarschuwingen worden gegeven, ultimata worden gesteld, overeenkomsten worden gesloten.

Maar bestuursrechtelijke rechtsbescherming komt pas in zicht wanneer er ergens in al die informatie een besluit kan worden ontwaard dat voldoet aan de vereisten van art. 1:3 Awb. Is dat niet het geval, dan dient de rechtbank het beroep niet-ontvankelijk te verklaren (of, als het bestuursorgaan het bezwaar al niet-ontvankelijk had verklaard, ongegrond).[8]

Alleen het eigenlijke besluit kan worden getoetst. Wat buiten de grenzen van dat besluit valt, ligt buiten de reikwijdte van de toetsing. Daarmee valt al het andere dat in de schriftelijke kennisgeving is vermeld, buiten de omvang van het geding. Een nadere uitwerking van dit punt zal hierna worden gegeven, bij 2.5 tot en met 2.8.

2.5 Verhouding primair besluit – besluit op bezwaar

Het ligt voor de hand dat de rechter zich bij de afbakening van de omvang van het geding dient te richten op het besluit op bezwaar. Het is immers dát besluit dat in de rechterlijke procedure ter toetsing voorligt. Het is echter ingewikkelder.

Een juiste beoordeling van de reikwijdte van het besluit op bezwaar kan alleen plaatsvinden in het licht van het primaire besluit en het bezwaarschrift. Het is het primaire besluit dat de buitengrenzen trekt; het besluit op bezwaar dient in beginsel binnen die grenzen te blijven.

Soms overschrijdt de inhoud van het besluit op bezwaar die grenzen. Dan wordt er in bezwaar over méér beslist dan in het primaire besluit. In dat geval moet de rechter de omvang van het geding bepalen aan de hand van het primaire besluit.

Voor zover het besluit op bezwaar meer omvat dan het primaire besluit, is sprake van een nieuw primair besluit. De rechter moet het beroep, voor zover het gericht is tegen dat deel van het besluit, niet-ontvankelijk verklaren, en bepalen dat het beroepschrift naar het bestuursorgaan wordt doorgezonden ter behandeling als bezwaarschrift.[9]

8   Bijv. CRvB 2 november 1999, RSV 2000, 3; CRvB 13 maart 1997, TAR 1997, 85.
9   ABRS 28 januari 2000, JB 2000, 71; ABRS 24 maart 1997, JB 1997, 102 m.nt.; CRvB 3 juni 1997, JB 1997, 194; ABRS 24 maart 1997, AB 1997, 201 m.nt. FM.

Een gemeentebestuur schorst een ambtenaar wegens een verdenking van fraude. De ambtenaar maakt bezwaar tegen dit besluit. In het besluit op bezwaar handhaaft het bestuur de schorsing, en neemt gelijktijdig de beslissing om de ambtenaar te ontslaan. De ambtenaar stelt beroep in tegen dit besluit. Wat is de omvang van het geding bij de rechter?
Aangezien het primaire besluit alleen betrekking had op de schorsing, kan uitsluitend die schorsing onderwerp zijn van het besluit op bezwaar. Voor wat betreft het ontslagbesluit dient de rechter te oordelen dat dit een nieuw primair besluit is, waartegen eerst bezwaar moet worden gemaakt alvorens het aan de rechter kan worden voorgelegd. Het ontslagbesluit valt derhalve buiten de omvang van het geding.

De rechter moet deze regel strikt toepassen. Ook wanneer partijen zelf aangeven dat zij de voorkeur geven aan een inhoudelijk oordeel van de rechter – in plaats van een nieuwe ronde via de bezwaarschriftenprocedure – moet de rechter het beroepschrift doorzenden als bezwaarschrift.[10]
Bij de beoordeling van de inhoud van het besluit op bezwaar, moet dus ook steeds het primaire besluit worden betrokken.

2.6 Besluit op aanvraag

Wanneer het gaat om een besluit op aanvraag, is voor de bepaling van de begrenzing van het besluit óók van belang wat de inhoud van de aanvraag is. In het algemeen geldt dat hetgeen waarom niet bij de oorspronkelijke aanvraag is verzocht, buiten het besluit valt en derhalve ook niet ter toetsing aan de rechter kan worden voorgelegd.

Een toepassing van deze regel zien we bij verzoeken om schadevergoeding. Wanneer € 10.000,- aan schadevergoeding wordt gevraagd, en dit bedrag wordt in het primaire besluit (gedeeltelijk) afgewezen, dan wordt het besluit op bezwaar eveneens begrensd door het in de oorspronkelijke aanvraag vermelde bedrag van € 10.000,-. Deze begrenzing werkt door bij de rechtbank: ook de rechter zal nooit kunnen oordelen over een hoger bedrag dan de € 10.000,-.
De consequentie hiervan is dat het niet mogelijk is om in de loop van de procedure – zoals in civiele procedures regelmatig voorkomt – de gevorderde schadevergoeding te vermeerderen: dan zouden de grenzen van het besluit worden overschreden.[11] Evenzo kan niet de grondslag van het verzoek om schadevergoeding in de loop van de procedure worden gewijzigd.[12] Zie ook paragraaf 9.6.
Er zijn echter ook uitspraken waarin de appelrechter wel een eisvermeerdering toestaat.[13]

---

10   ABRS 15 januari 2003, JB 2003, 48.
11   CRvB 25 januari 2001, JB 2001, 77 m.nt. RJNS.
12   CRvB 4 januari 2001, TAR 2001, 27; ABRS 11 november 1999, JB 1999, 7 m.nt. R.J.N.S.; ABRS 21 september 1998, JB 1998, 241 m.nt. HJS.
13   CRvB 19 mei 1998, JB 1998, 185.

Wanneer in het geheel geen verzoek om schadevergoeding[14] is gedaan, treedt de rechtbank buiten de omvang van het geding wanneer zij zich uitlaat over de vraag of schadevergoeding geboden is. Ook wanneer wel verzocht is om schadevergoeding, maar het bestuursorgaan daarover nog geen besluit heeft genomen, treedt de rechtbank buiten de omvang van het geding wanneer zij daarover een inhoudelijk oordeel geeft.[15]

Ook de tegenovergestelde situatie kan zich voordoen: het besluit is geen adequate reactie op de aanvraag, doordat niet of niet volledig beslist werd op de aanvraag, en dus over *minder* werd beslist dan waarom werd gevraagd. In dat geval zal belanghebbende in bezwaar en beroep aan de orde kunnen stellen dat het besluit onvolledig is en om die reden voor vernietiging in aanmerking komt. In deze situatie gaat de bestuursrechtelijke toetsing dus over 'meer' dan wat er in het besluit is vermeld.

Hiervoor, bij 2.2, werd al het voorbeeld gegeven dat het besluit alleen een beslissing bevat over de aanvraag om een arbeidsongeschiktheidsuitkering, terwijl ook een werkloosheidsuitkering was aangevraagd. Overigens zal de rechter zelf geen inhoudelijke beslissing geven over het recht op een werkloosheidsuitkering, maar het bestuursorgaan opdragen daar alsnog een besluit over te nemen. In dat opzicht laten de grenzen van het besluit zich weer gelden.

Hieruit blijkt dat bij de afbakening van het besluit steeds bekeken moet worden waarop de aanvraag van de belanghebbende was gericht.
Wanneer het gaat om aanvraag voor een uitkering, is van belang dat het altijd gaat om een recht *per een bepaalde datum* of *over een bepaalde periode*. Het besluit kan dan ook uitsluitend betrekking hebben op het uitkeringsrecht per díe datum of over díe periode. Hiermee is het besluit in de tijd begrensd. Overwegingen of argumenten die betrekking hebben op een ander tijdstip of over een andere periode, vallen buiten de grenzen van het besluit en daarmee buiten de omvang van het geding.[16]

Iemand vraagt een bijstandsuitkering aan per 1 november 2001. Deze wordt per die datum ook toegekend. In beroep bij de rechtbank voert betrokkene aan dat hij de uitkering per 1 juli 2001 had willen ontvangen. Omdat over de periode 1 juli 2001 – 1 november 2001 geen aanvraag is gedaan, valt de vraag of over die periode een recht op bijstand bestaat, buiten de omvang van het geding. Wanneer de rechter zich daarover toch zou uitlaten, treedt hij buiten de omvang van het geding.[17]

---

14   Ik doel hier op het zelfstandig schadebesluit. Zie over schadevergoeding op de voet van art. 8:73 Awb nader de paragrafen 3.5 en 9.6.
15   CRvB 7 november 2000, JABW 2001, 1; CRvB 30 mei 2000, JB 2000, 207.
16   CRvB 29 januari 1999, RSV 1999, 127; CRvB 3 juni 1997, JB 1997, 194; CRvB 18 april 1989, RSV-kort 1990, 138.
17   CRvB 24 augustus 1999, JABW 1999, 152; CRvB 14 augustus 1992, RSV 1993, 209.

Voor de bezwaarfase geldt hetzelfde. De beoordeling in bezwaar dient immers binnen de kaders van het primaire besluit te blijven (zie hiervoor bij 2.5). De heroverweging in bezwaar dient zich derhalve te beperken tot een hernieuwde beoordeling van de datum of de periode waarop het primaire besluit betrekking had.[18] Overigens kan de heroverweging in bezwaar wel tot gevolg hebben dat, ten voordele van belanghebbende, de ingangs- of intrekkingsdatum van de uitkering verschuift. Zolang het gaat om een beoordeling van hetzelfde, aan het primaire besluit ten grondslag liggende, feitencomplex, is geen sprake van een nieuw primair besluit.[19]

Ook in inhoudelijk opzicht is de oorspronkelijke aanvraag bepalend voor de omvang van de toetsing. Indien een belanghebbende op grond van een specifieke wettelijke bepaling schadevergoeding vordert, kan hij niet in de loop van de procedure op een andere basis schadevergoeding vorderen. Daarmee zou de grondslag van de aanvraag worden verlaten.

Belanghebbende vordert aanvankelijk schadevergoeding op grond van art. 53 en 60 Huisvestingswet. In hoger beroep bij de Afdeling vult hij dit aan met een verzoek om nadeelcompensatie. Dit is niet mogelijk.[20]

Voor de afbakening van de omvang van het besluit moet dus ook gekeken worden naar de omvang van het primaire besluit en de daaraan ten grondslag liggende aanvraag.

2.7 Gericht op rechtsgevolg

Een nader handvat om de grenzen van het besluit vast te stellen, krijgen we door na te gaan of voor alle elementen voldaan is aan de vereisten die wet en rechtspraak stellen aan de aanwezigheid van een besluit in de zin van art. 1:3 Awb.
Zo stelt art. 1:3 lid 1 Awb als eis dat het moet gaan om een beslissing, die een publiekrechtelijke *rechtshandeling* inhoudt. Deze eis betekent dat sprake moet zijn van een handeling gericht op rechtsgevolg: er moet een wijziging ontstaan in de rechten en plichten van betrokkene.[21] Toepassing van deze eis op de vraag wat de precieze inhoud van een besluit is, brengt met zich mee dat bijvoorbeeld louter informatieve mededelingen niet tot de eigenlijke inhoud van het besluit kunnen worden gerekend. Dergelijke overwegingen of mededelingen vallen dan ook buiten de grenzen van het besluit.

Het gemeentebestuur schrijft iemand aan om een illegaal en in strijd met het bestemmingsplan gebouwd schuurtje te verwijderen. In dezelfde brief wordt vermeld 'dat het ons ook een doorn in het oog is dat u uw erf gebruikt als opslagplaats voor

---

18   CRvB 3 juni 1997, JB 1997, 194; CRvB 25 februari 1997, AB 1997, 238 m.nt. HBr (JB 1997, 71).
19   CRvB 4 april 2001, JB 2001, 137 m.nt. ARN.
20   ABRS 21 september 1998, JB 1998, 241 m.nt. HJS. Idem CRvB 4 januari 2001, TAR 2001, 27.
21   F.J. van Ommeren & G.A. van der Veen, Het Awb-besluit, Nijmegen 1998, p. 25 e.v.

oud schroot', en 'dat wij erop vertrouwen dat u dat schroot opruimt.' Betrokkene maakt niet alleen bezwaar tegen de aanschrijving bestuursdwang voor wat betreft het schuurtje, maar richt zich ook tegen de opmerkingen over zijn erf, want 'het schroot ligt er al jaren.'

Dit laatste bezwaar zal niet in bezwaar of beroep kunnen worden getoetst, omdat de betreffende opmerkingen van het gemeentebestuur los staan van de bestuursdwangbeslissing over het schuurtje, en zelf niet op rechtsgevolg zijn gericht. Derhalve kunnen ze noch als onderdeel van het bestuursdwangbesluit, noch als een ander, zelfstandig, besluit worden aangemerkt. Geconcludeerd dient te worden dat de bezwaren van betrokkene tegen de opmerkingen van het bestuur over het schroot buiten de grenzen van het bestreden besluit vallen. Wanneer toch tot toetsing daarvan zou worden overgegaan, zou de rechter buiten de omvang van het geding treden.[22]

Wanneer een besluit identiek is aan een eerder genomen besluit, is het herhaalde besluit niet meer op rechtsgevolg gericht en daarom niet vatbaar voor beroep.[23] Ook 'overwegingen ten overvloede' zijn in de regel niet op rechtsgevolg gericht.

In de rechtspraak wordt aangenomen dat wanneer een besluit primair een niet-ontvankelijkverklaring inhoudt en subsidiair een ongegrondverklaring, de rechter alleen de primaire grondslag kan toetsen. De subsidiaire grondslag *'dient in dit geval te worden aangemerkt als een overweging die geen andere strekking heeft dan die van een partijen niet bindende overweging'* [24]

Indien een bezwaarschrift op een primaire en een subsidiaire grondslag ongegrond wordt verklaard, geldt de subsidiaire grondslag niet als een overweging ten overvloede.[25]

Over de vraag of sprake is van een handeling gericht op rechtsgevolg, bestaat veel rechtspraak. Aan de hand van de daarin ontwikkelde regels zal moeten worden nagegaan of een (deel van een) besluit vatbaar is voor een bestuursrechtelijke toetsing.

2.8 Meerdere besluiten

Het komt regelmatig voor dat een schriftelijke kennisgeving meerdere beslissingen bevat, die elk hun eigen rechtsgevolgen hebben. Dan is sprake van meerdere, los van elkaar staande besluiten. Wanneer een belanghebbende slechts tegen één van die besluiten beroep instelt, valt het andere besluit, of de andere besluiten, buiten de omvang van het geding.

---

22   Vgl. ABRS 20 maart 2000, AB 2000, 317 m.nt. JSt; ABRS 28 januari 2000, JB 2001, 71.
23   Bijv. CRvB 30 december 1997, RSV 1998, 234.
24   ABRS 17 mei 1999, JB 1999, 137 m.nt. ARN. Idem CRvB 14 oktober 1999, AB 2000, 41 m.nt. HH; CRvB 17 februari 1997, AB 1998, 171 m.nt. HBR. Met een andere redenering maar hetzelfde resultaat: CBB 2 maart 1999, AB 1999, 41 m.nt. JHvdV.
25   CRvB 8 april 1999, RSV 1999, 216.

Vooral in het sociale zekerheidsrecht zien we vaak een bundeling van besluiten in één schriftelijke kennisgeving. Zo gaat een terugvorderingsbesluit van te veel betaalde WAO-uitkering ('van u wordt over periode X wegens te veel betaalde uitkering € 5.000 teruggevorderd') altijd samen met een intrekkings- of herzieningsbesluit ('over periode X heeft u recht op een uitkering van € 5.000 minder dan u aanvankelijk was toegekend'). Dit vereist alertheid bij de belanghebbende: wanneer uitsluitend bezwaar en beroep wordt ingesteld tegen het terugvorderingsbesluit, valt het intrekkings- of herzieningsbesluit buiten de omvang van het geding.[26] De rechter dient dan uit te gaan van de juistheid van dat besluit.

Hetzelfde geldt bij de combinatie van een terugvorderings- met een invorderingsbesluit ('het van u teruggevorderde bedrag van € 5.000 zal in maandelijkse termijnen van € 150 met uw lopende uitkering worden verrekend'). Wanneer uitsluitend tegen het invorderingsbesluit bezwaar wordt gemaakt, valt het terugvorderingsbesluit buiten de omvang van het geding (en andersom).[27]

Doorgaans is kennis van het toepasselijke materiële bestuursrecht vereist, om te kunnen vaststellen wat precies de inhoud en de begrenzing van het besluit is. Zonder die kennis is vaak niet duidelijk waarover het besluit precies beoogt iets vast te stellen, en of inderdaad voldaan is aan het vereiste van gericht zijn op rechtsgevolg. En dan is evenmin duidelijk wat wel of niet binnen de grenzen van het besluit valt.

Zo moet voor een beoordeling van het voorbeeld over het illegale schuurtje, bekend zijn welke eisen aan een aanschrijving bestuursdwang dienen te worden gesteld, en waarom de opmerkingen van het gemeentebestuur over het schroot op het erf dus niet als een op rechtsgevolg gerichte schriftelijke mededeling kunnen worden aangemerkt.

Vergelijk ook de premiezaak die aan de orde was in CRvB 17 juli 1995, waar het subtiele verschil tussen de hoogte van de aansprakelijkheidstelling en de hoogte van het in te vorderen bedrag bepalend was voor de omvang van het besluit.[28]

Ook CRvB 19 december 2002[29] kan in deze sleutel worden begrepen. Door het Uwv was geoordeeld (besluit 1) dat belanghebbende aanspraak kon maken op een WW-uitkering, doch (besluit 2) dat dit recht niet geldend kon worden gemaakt vanwege verwijtbare werkloosheid. Het beroep van belanghebbende richtte zich tegen besluit 2. De rechtbank treedt dan ook buiten de grenzen van het besluit door te oordelen dat besluit 1 onjuist is.

26 CRvB 9 april 2002, JABW 2002, 93; CRvB 10 april 2001, JABW 2001, 92; CRvB 6 maart 2001, RSV 2001, 95; CRvB 9 januari 2001, JABW 2001, 45.
27 CRvB 21 februari 2001, AB 2001, 177 m.nt. HBr; CRvB 30 augustus 2000, RSV 2000, 239; CRvB 26 april 2000, AB 2000, 433. Idem reeds vóór de inwerkingtreding van de Awb, bijv. CRvB 12 juli 1990, RSV 1991, 149.
28 CRvB 17 juli 1995, RSV 1996, 11.
29 CRvB 19 december 2002, JB 2003, 50 en idem CRvB 22 januari 2003 JB 2003, 55, beide m.nt. onder JB 2003, 55 van C.L.G.F.H.A.

In ABRS 9 oktober 2002 had de rechtbank het verschil miskend tussen het besluit tot afwijzing van de aanvraag om een verblijfsvergunning asiel voor bepaalde tijd, en een verblijfsvergunning regulier voor bepaalde tijd.[30] Vergelijk ook CRvB 6 maart 1997 voor het verschil tussen het besluit tot vaststelling van een functiebeschrijving, en het besluit tot waardering van een functie.[31]

De bepaling van de omvang van het besluit is dus niet louter een formele toets. Zij kan alleen plaatsvinden aan de hand van het toepasselijke materiële bestuursrecht.

2.9 Wijziging van het besluit

De reikwijdte van de bestuursrechtelijke toetsing wordt primair bepaald door de inhoud van het bestreden besluit. Het besluit is bepalend voor de omvang van de toetsing. Het besluit heeft als het ware een fixerende werking, waaraan niet alleen de rechter maar ook partijen gebonden zijn. Uitgangspunt is dan ook dat het bestuursorgaan tijdens de procedure het besluit niet mag wijzigen.

Het bestuursorgaan weigert toekenning van een bijstandsuitkering per een bepaalde datum. In het verweerschrift bij de rechtbank wordt aangevoerd dat eigenlijk bedoeld is te weigeren per een half jaar daarvóór gelegen datum, omdat inmiddels gebleken is dat betrokkene toen ten onrechte uitkering heeft ontvangen.
Dit is een niet-toegestane wijziging van het besluit. De rechter dient het besluit te beoordelen zoals dat er aanvankelijk lag.

Een *aanvulling van de motivering* van het besluit door het bestuursorgaan tijdens de procedure bij de rechter, is in beginsel wél toegestaan. Daarbij kan het gaan om het verbeteren, aanvullen of verduidelijken van de motivering.[32]

Zo komt het in arbeidsongeschiktheidszaken wel voor dat op bepaalde punten nog nadere informatie nodig is, bijvoorbeeld van de verzekeringsarts. In dat geval dient de rechter het bestuursorgaan te verzoeken om een aanvulling van de motivering.[33] Uit art. 3:47 lid 1 Awb, waarin is bepaald dat de motivering van een besluit vermeld wordt bij de bekendmaking van het besluit, zou kunnen worden afgeleid dat aanvulling van de motivering na bekendmaking van het besluit niet is toegestaan. Uit de wetsgeschiedenis blijkt echter dat dat wel mogelijk wordt geacht. De schending van het 'vormvoorschrift' van art. 3:47 lid 1 wordt dan door de rechter met toepassing van art. 6:22 Awb gepasseerd.

---

30   ABRS 9 oktober 2002, JB 2002, 336 m.nt. EvdL.
31   CRvB 6 maart 1997, TAR 1997, 82.
32   H. Bolt, De artikelen 6:18 en volgende van de Algemene wet bestuursrecht, in: *JB-plus* (2000) p. 26-37.
33   CRvB 17 mei 2000, USZ 2000, 162.

Ook verzoekt het bestuursorgaan de rechter wel om 'het besluit gewijzigd te lezen'.

> Uit CRvB 17 juni 1992 is af te leiden dat dit verzoek alleen dient te worden gehonoreerd als het gaat om een kennelijke misslag, en niet wanneer de wijziging leidt tot een besluit met een andere uitkomst.[34]
> Soms is in feite sprake van een verzoek aan de rechter om op de voet van art. 8:72 lid 4 Awb zelf te voorzien in de zaak. De rechter geeft daar in het algemeen slechts gehoor aan als na de vernietiging nog maar één beslissing mogelijk is.

Het is de taak van de bestuursrechter om leemtes of onduidelijkheden in de motivering op te sporen en daarover helderheid te verkrijgen. De rechter kan dit doen door vragen te stellen aan het bestuursorgaan of door een deskundige in te schakelen.[35] De Awb biedt de rechter hiervoor een scala aan onderzoeksmogelijkheden. Met inachtneming van de gegeven aanvullingen op de motivering beoordeelt de rechter dan het besluit. De bestuursrechter 'helpt' zo het bestuursorgaan om een besluit te voorzien van een draagkrachtige motivering.[36]

> Dit is althans de zienswijze van de Centrale Raad van Beroep. De benadering van de Afdeling bestuursrechtspraak is anders. Zie hierover nader paragraaf 6.7 en 6.8.

Wanneer wezenlijke onderdelen van de motivering van het besluit door het bestuursorgaan worden gewijzigd, kan niet meer gesproken worden over het aanvullen van de motivering. Dan is sprake van een niet-toegestane wijziging van het besluit. Een in het verweerschrift gegeven motivering die afwijkt van de motivering in het bestreden besluit, valt daarmee in beginsel buiten de grenzen van het besluit.[37]
Wanneer de voorbereiding van het besluit onzorgvuldig is geweest – bijvoorbeeld door een onvolledig onderzoek naar de feiten – zal dit in het algemeen niet achteraf hersteld kunnen worden.[38] Dit geldt zeker wanneer de rechter in eerste aanleg een zorgvuldigheidsvernietiging uitspreekt wegens gebreken in de motivering, en het bestuursorgaan deze gebreken in hoger beroep herstelt.[39] Opgemerkt zij dat het in *bezwaar* in beginsel wel is toegestaan om een andere grondslag aan het besluit te geven. Zie hierover nader paragraaf 3.2.
Wel kan een in de loop van de procedure gegeven gewijzigde motivering van het bestreden besluit met zich meebrengen dat sprake is van een *nieuw besluit*. Het nemen van een nieuw besluit tijdens de procedure is in beginsel steeds toegestaan, mits sprake is van een bestaande bevoegdheid – los van de lopende procedure – tot het nemen van een nieuw besluit.

34   CRvB 17 juni 1992, RSV 1993, 65; idem CRvB 14 februari 1992, RSV 1993, 63; ABRS 24 november 1998, BR 1990, p. 213.
35   CRvB 12 januari 1999, RSV 1999, 86; CRvB 20 mei 1988, RSV 1989, 18.
36   Vgl. ook ABRS 12 december 2001, AB 2002, 323 m.nt. A.T. Marseille.
37   ABRS 4 december 2002, AB 2003, 406 m.nt. Sew.
38   Vgl. Pres. CBB 18 juni 1997, AB 1997, 454 m.nt. JHvdV.
39   CRvB 28 oktober 1998, AB 1999, 65 m.nt. FP.

Zie art. 6:18 lid 1 Awb: het aanhangig zijn van bezwaar of beroep tegen een besluit brengt geen verandering in een los van het bezwaar of beroep reeds bestaande bevoegdheid tot intrekking of wijziging van dat besluit. Zo is er wel de bevoegdheid tot wijziging van een WAO-uitkering, maar niet de bevoegdheid tot wijziging van een verleende bouwvergunning (deze kan alleen worden ingetrokken op de in art. 59 Woningwet genoemde gronden).

De rechtbank kan dit nieuwe besluit op de voet van art. 6:19 Awb meenemen in de procedure tegen het oorspronkelijke besluit. Dan moet wel zijn voldaan aan het vereiste dat het nieuwe besluit voldoende samenhangt met het oorspronkelijk bestreden besluit.[40]

Van een nieuw besluit – en niet het aanvullen van de motivering van het oorspronkelijke besluit – is sprake wanneer het besluit een andere juridische *grondslag* krijgt. Het gevolg hiervan is dat het oorspronkelijk besluit dient te worden vernietigd; dat wordt immers kennelijk niet gehandhaafd.

De Sociale Verzekeringsbank weigert kinderbijslag omdat betrokkene geen kinderen zou hebben. In beroep bij de rechtbank stelt de bank zich op het standpunt dat betrokkene wel kinderen had, maar dat niet aan de in de wet gestelde onderhoudseis werd voldaan. Hiermee wordt aan het besluit een nieuwe grondslag gegeven. Dit leidt tot vernietiging van het oorspronkelijke besluit.[41] Zie echter anders in paragraaf 9.10.2. In beginsel is dan sprake van een nieuw besluit dat op de voet van de artt. 6:18 en 6:19 Awb kan worden meegenomen bij de rechterlijke toetsing. In het onderhavige geval was de wijziging van het besluit zo kort voor de zitting meegedeeld, dat de rechter het nieuwe besluit niet meer bij zijn beoordeling wilde betrekken.

Ook wanneer een ander *rechtsgevolg* in het leven wordt geroepen, is sprake van een nieuw besluit.

Indien het bestuursorgaan eerst een besluit neemt dat belanghebbende in een mate van 15-25% arbeidsongeschikt moet worden geacht, en zich in de loop van de procedure op het standpunt stelt dat belanghebbende 45-55% arbeidsongeschikt is, is sprake van een nieuw rechtsgevolg, en daarmee van een nieuw besluit.

Het oorspronkelijke besluit is dus bepalend voor de reikwijdte van de toetsing. Wel kunnen aanvullingen op het besluit die het bestuursorgaan in de loop van de procedure geeft, bij de toetsing worden betrokken. Wanneer de aanvulling het besluit echter wezenlijk verandert – doordat het besluit een andere rechtsgrond of een ander rechtsgevolg gegeven wordt –, is sprake van een *nieuw* primair besluit. Of dat nieuwe besluit kan worden meegenomen bij de toetsing in de procedure tegen het oorspronkelijke besluit, hangt af van de vraag of het besluit kan worden beschouwd als een besluit in de zin van art. 6:18 Awb.

---

40   CRvB 7 augustus 1997, AB 1997, 376 m.nt. HH (TAR 1997, 204 m.nt. A. Neerhof).
41   CRvB 23 december 1998, AB 1999, 351 m.nt. FP. Vgl. ook ABRS 24 maart 2003, AB Kort 2003, 275; CRvB 2 maart 1993, RSV 1994, 14 m.nt. Van der Ham.

2.10 Besluit als buitengrens van de toetsing

Wanneer duidelijk is wat precies het besluit is dat ter toetsing voorligt, is daarmee de *buitengrens* van de bestuursrechtelijke toetsing gegeven. De afbakening van de inhoud van het besluit is dus een belangrijke stap in de afbakening van de reikwijdte van de toetsing. Hieraan is ook te zien hoe formalistisch de opzet van het bestuursrecht is. Belanghebbende kan jarenlang overhoop liggen met een bestuursorgaan, maar wanneer er geen besluit valt te traceren, bestaat er hoe dan ook geen bevoegdheid voor de bestuursrechter. Aan enige bestuursrechtelijke toetsing komen we dan niet toe.

Om die reden is er nog steeds een groot aantal bestuursrechtelijke geschillen, waar niet de bestuursrechter, maar de civiele rechter bevoegd is. In alle gevallen dat er geen besluit is, is de civiele rechter 'restrechter' of 'vangnet'. Deze wijze van competentieverdeling tussen bestuursrechter en civiele rechter blijft een bron van discussie en oorzaak van veel afbakeningsproblemen.

Het besluit kan ook als een keurslijf werken. Vragen die buiten het besluit vallen, liggen buiten de omvang van de bestuursrechtelijke toetsing. Dat kan betekenen dat wat de belanghebbende eigenlijk ter toetsing zou willen voorleggen, zijn achterliggende belang, niet aan de orde kan komen in de procedure.

Neem bijvoorbeeld de situatie dat belanghebbende, een gehandicapte, dringend behoefte heeft aan een speciale voorziening in zijn woning. De voorziening wordt aangevraagd en afgewezen op grond van de Wet voorzieningen gehandicapten (Wvg). In wezen gaat het betrokkene echter niet om de vraag of de aanvraag al dan niet terecht is afgewezen op grond van de Wvg, maar om de vraag hoe hij op enigerlei wijze de gewenste voorziening kan krijgen. Wvg? Bijzondere bijstand? Ziektekostenverzekeringsregeling? Aankloppen bij de woningbouwvereniging? Op die vraag kan in de bestuursrechtelijke procedure geen antwoord worden gegeven.

Deze nadelen hebben sommigen ertoe gebracht te pleiten voor afschaffing van het besluit als grondslag van het bestuursprocesrecht.[42] In plaats daarvan zou de *rechtsbetrekking* tussen burger en bestuursorgaan centraal moeten staan.[43] Met het begrip rechtsbe-

---

42   Zie ook de discussie in het *NJB* over de stelling 'Het besluitbegrip in de Awb moet worden afgeschaft', in: *NJB* (2003) p. 1023-1027.

43   Vgl. M. Scheltema, Van rechtsbescherming naar een volwaardig bestuursrecht, in: *NJB* (1996) p. 1355-1361; C.A.J.M. Kortmann, Weg met het Awb-besluit, in: *RM Themis* (1998) p. 190-191; R.J.N. Schlössels, Het besluitbegrip: doos van Pandora of hoofd van Medusa? in: *NTB* (2000) p. 1-13; A.Q.C. Tak, *Het Nederlandse bestuursprocesrecht in theorie en praktijk*, deel II, Den Haag 2002, p. 521 e.v. (Tak pleit voor het *belang* van een individuele burger als object van de toetsing). Vgl. ook S. Pront-van Bommel, *Bestuursrechtspraak. Voorstellen voor modernisering van de bestuursrechtspraak*, Den Haag 2002, p. 75 e.v.; N. Verheij, Van besluit naar vordering? Vragen bij een Maastrichts bestuursprocesrecht, in: Heldeweg e.a, *Uit de school geklapt? Opstellen uit Maastricht*, Den Haag 1999; R.M. van Male, *Onvoltooid recht* (oratie), Zwolle 1993. Een voorzichtige aanzet in deze richting is ook al te vinden in de wetsgeschiedenis van de Awb, zie PG Awb II, p. 174 (MvT).

trekking wordt bedoeld dat burger en bestuursorgaan in een juridische relatie tot elkaar staan. In de literatuur wordt deze relatie soms als *wederkerig* gekwalificeerd: burger en bestuursorgaan hebben allebei rechten en plichten ten opzichte van elkaar. De burger is niet alleen onderdaan van het bestuursorgaan, maar heeft ook een eigen verantwoordelijkheid.[44]

Een volgende stap in deze denkrichting zou zijn dat alles wat te maken heeft met de verhouding tussen burger en bestuursorgaan, tot de competentie van de bestuursrechter hoort. Daarmee kunnen alle competentieproblemen tussen civiele rechter en bestuursrechter tot het verleden gaan behoren.

2.11 Samenvatting

In het systeem van de Awb kan alleen beroep worden ingesteld tegen een besluit in de zin van art. 1:3 Awb. Dit heeft tot gevolg dat het beroep alleen betrekking kan hebben op de inhoud van het besluit, inclusief de totstandkoming van het besluit. Wat buiten de inhoud van het besluit ligt, valt buiten de bestuursrechtelijke toetsing.

Bij de afbakening van de inhoud van het besluit moet ook worden gekeken naar de daaraan ten grondslag liggende aanvraag. Verder moet onderscheid worden gemaakt tussen het besluit en de schriftelijke kennisgeving, waarin meerdere besluiten vervat kunnen zijn. Wanneer het beroep zich slechts richt tegen één van die besluiten, moet de toetsing zich daartoe beperken.

Een wijziging van het besluit in de procedure bij de rechter is slechts in beperkte mate mogelijk, namelijk alleen wanneer het gaat om een aanvulling van de motivering. Wanneer de grondslag van het besluit wordt gewijzigd of het besluit een ander rechtsgevolg krijgt, is sprake van een nieuw primair besluit.

De grenzen van het besluit bepalen zo de buitengrenzen van de bestuursrechtelijke toetsing.

---

44   Zie over het begrip wederkerige rechtsbetrekking nader L.J.A. Damen, Bestaat de Awbmens? in: *Aantrekkelijke gedachten. Beschouwingen over de Algemene wet bestuursrecht*, J.L. Boxum e.a., Deventer 1993, p. 109-129, met verdere literatuurverwijzingen.

HOOFDSTUK 3
Reikwijdte van de toetsing: beperking tot aangevochten onderdelen van een besluit

3.1 Inleiding

In hoofdstuk 2 werd besproken dat de inhoud van het besluit bepalend is voor de reikwijdte van de bestuursrechtelijke toetsing. Wat buiten de grenzen van het besluit valt, ligt buiten de omvang van de toetsing.

Dat betekent echter niet dat alles wat bínnen die grenzen ligt, onderworpen is aan de toetsing in bezwaar of beroep. Als uitgangspunt geldt dat de bestuursrechtelijke toetsing zich beperkt tot die gedeeltes van het besluit, waartegen de bezwaren van de belanghebbende zich richten. De toetsing beperkt zich daarmee tot de door belanghebbende aangevochten *onderdelen* van het besluit. In de bestuursrechtelijke praktijk blijkt dit uitgangspunt echter heel verschillend uit te werken, zo komt in dit hoofdstuk aan de orde. Eerst zal echter worden ingegaan op de vraag wat moet worden verstaan onder een onderdeel van een besluit.

3.2 Onderdelen van een besluit in de bezwaarfase

In art. 7:11 Awb is bepaald dat indien het bezwaar ontvankelijk is, op grondslag daarvan een heroverweging van het bestreden besluit plaatsvindt. De bezwaarprocedure heeft tot doel, zo blijkt uit art. 7:11 lid 1 Awb, de heroverweging van het bestreden besluit. In de wetsgeschiedenis is dit nader omschreven als een *volledige* heroverweging van het bestreden besluit.[45] Hieruit zou kunnen worden afgeleid dat het bestuursorgaan het besluit in al zijn aspecten moet heroverwegen. Uit de wetsgeschiedenis blijkt echter dat met het gebruik van de term 'volledig' bedoeld is om aan te geven dat de heroverweging zich niet mag beperken tot argumenten of omstandigheden die in het bezwaarschrift aan de orde zijn gesteld.[46] Op dit aspect – dat betrekking heeft op de *inhoud* van de toetsing – zal nader worden ingegaan in hoofdstuk 4.

De volledige heroverweging houdt níet in dat het besluit steeds in al zijn onderdelen moet worden heroverwogen.

> Zie de betreffende passage uit de parlementaire geschiedenis bij art. 7:11 Awb: '*De heroverweging moet geschieden "op grondslag" van het bezwaar. In de eerste plaats vloeit hieruit voort dat die onderdelen van het besluit die geheel los van de aangevoerde bezwaren staan, in beginsel buiten beschouwing blijven.*'[47]

---

45 PG Awb I, p. 347 (Nader rapport).
46 PG Awb I, p. 347 (Nader rapport).
47 PG Awb I, p. 347 (Nader rapport).

De heroverweging mag zich derhalve beperken tot de aangevochten onderdelen van het besluit, wat in art. 7:11 Awb is uitgedrukt met de woorden 'op grondslag van het bezwaar'.

Een student-registeraccountant maakt bij het Examenbureau bezwaar tegen de beoordeling van zijn tentamen.[48] In het bezwaarschrift voert hij aan dat de vragen 1 en 13 onduidelijk waren en derhalve buiten beschouwing moeten worden gelaten. Het Examenbureau mag zich bij de toetsing in bezwaar beperken tot een beoordeling van de vragen 1 en 13. Dat in bezwaar sprake is van een volledige heroverweging, betekent niet dat ambtshalve alle vragen weer opnieuw moeten worden beoordeeld.

Niet te snel mag echter worden aangenomen dat een bepaald onderdeel van het besluit door belanghebbende niet ter discussie wordt gesteld. Zonodig moet bij de belanghebbende worden geverifieerd waartegen de bezwaren zich precies richten.

Zie de parlementaire geschiedenis bij art. 7:11 Awb: '*Het bestuursorgaan zal daarbij de naar voren gebrachte bezwaren voldoende ruim naar hun strekking moeten opvatten. Indien bijvoorbeeld tijdens de hoorzitting blijkt dat deze, ondanks een beperkte omschrijving in het bezwaarschrift, ruimer bedoeld zijn, dan zal daarmee rekening gehouden moeten worden.*'[49] Wanneer, in het voorbeeld van het Examenbureau, op de hoorzitting blijkt dat de student ook tegen vraag 14 bezwaren heeft, dient het bestuursorgaan die vraag ook bij zijn beoordeling te betrekken.

Het feit dat het bestuursorgaan niet verplicht is om het primaire besluit in de bezwaarfase integraal – in al zijn onderdelen – te heroverwegen, betekent niet dat dit niet *mag*. Als het bestuursorgaan stuit op onderdelen van het besluit waar het bij nader inzien toch een andere beslissing over wil nemen, ook al zijn daartegen geen bezwaren gericht, dan is dat toegestaan.[50] Voorts is het het bestuursorgaan ook toegestaan om in bezwaar een andere grondslag aan het besluit te geven.[51] Er zijn echter ook uitspraken waarin dit niet wordt aanvaard: het gewijzigde besluit op bezwaar wordt dan aangemerkt als een nieuw primair besluit, zodat eerst (opnieuw) de bezwaarprocedure moet worden doorlopen.[52] Aan de bevoegdheid om het besluit op bezwaar te wijzigen, is echter een belangrijke beperking verbonden: de heroverweging mag niet leiden tot een voor de belangheb-

---

48   Casus is een variant op CBB 15 december 1998, AB 1999, 104 m.nt. JHdV.
49   PG Awb I, p. 347 (MvT).
50   Dit is af te leiden uit PG Awb I, p. 347 (MvT).
51   CRvB 25 juni 2003, AB 2003, 395 m.nt. HBr (JB 2003, 247); ABRS 24 mei 2003, JB 2003, 185; CRvB 7 juni 2001, AB 2001, 251; Vz ABRS 3 mei 1991, AB 2001, 198 m.nt. A.T. Marseille; Pres. CBB 18 juni 1997, AB 1997, 454 m.nt. JHvdV; CBB 25 februari 1997, AB 1997, 455 m.nt. JHvdV. Zie echter ook CRvB 14 oktober 1999, AB Kort 1999, 578: hier was in bezwaar, subsidiair, een rechtsgrond aan het besluit werd toegevoegd, waarop werd geoordeeld dat voor dat gedeelte van het besluit sprake was van een nieuw primair besluit.
52   Bijv. ABRS 23 april 2003, AB 2004, 1 m.nt. BdeW; ABRS 10 september 2003, AB 2004, 2 m.nt. BdeW. Het is niet geheel duidelijk hoe deze uitspraken zich verhouden tot de in de vorige noot genoemde jurisprudentie. Mogelijk is van belang dat het in deze zaken ging om een *sanctie*. Ook kan een rol spelen of de nieuwe grondslag gebaseerd is op hetzelfde feitencomplex, waarop het primaire besluit was gebaseerd.

bende ongunstiger beslissing. Wanneer de nieuwe beslissing nadeliger is voor de belanghebbende dan het oorspronkelijke besluit, is sprake van een zogenoemde *reformatio in
peius*. Belanghebbende is dan door het instellen van bezwaar en het daarop gevolgde
besluit op bezwaar, in een nadeliger situatie terechtgekomen dan daarvoor. Dat is niet
toegestaan.[53]

In het voorbeeld betekent dit dat het Examenbureau óók mag beslissen dat bij nader
inzien vraag 2 buiten beschouwing moet blijven wegens onduidelijkheid in de vraagstelling. Het Bureau mag niet eigener beweging een lagere beoordeling geven, omdat
nu ontdekt is dat ten onrechte vraag 3 is goed gerekend. Dan is sprake van een verboden reformatio in peius. Opgemerkt zij dat het verbod van reformatio in peius beperkt
is tot tweepartijengeschillen.[54]
In het belastingrecht heeft de Hoge Raad een soepelere regel geformuleerd. Een
belanghebbende maakte bezwaar tegen bepaalde punten van zijn aanslag. De inspecteur
honoreerde op een aantal punten het bezwaar, maar legde toch geen lagere aanslag op,
omdat hij bij nader inzien vond dat een aantal *andere* posten – waartegen het bezwaar
zich niet richtte – te laag waren vastgesteld. De Hoge Raad overweegt, kort samengevat, dat de aanslag als een geheel moet worden gezien, en dat het bezwaar zich richt
tegen die aanslag in zijn totaliteit. Omdat uiteindelijk geen sprake is van een verhoging
van de aanslag in bezwaar, is geen sprake van een verboden reformatio in peius.[55]

3.3 Onderdelen van een besluit in de beroepsfase

Ook voor de beroepsfase geldt dat de rechter zich in beginsel dient te beperken tot de
aangevochten onderdelen van het besluit. Dit wordt vaak uitgedrukt met de woorden,
ontleend aan lid 1 van art. 8:69 Awb, dat de rechter uitspraak moet doen op *grondslag
van* het beroep.

Zie de wetsgeschiedenis: '*Over de omvang van het geschil waarover de rechter een oordeel
moet geven, merken wij op dat deze in beginsel wordt bepaald door de omvang van het ingestelde beroep (vgl. in dit verband art. 6.3.16* [art. 7:11 – RHdB], *inhoudende dat het
bestuursorgaan heroverweegt op de grondslag van het bezwaar). (...)
Uit het bovenstaande vloeit in de eerste plaats voort, dat die onderdelen van het besluit waartegen niet wordt opgekomen, door de rechter buiten beschouwing moeten worden gelaten.*'[56]

Verder geldt ook hier dat de rechter niet te snel mag aannemen dat tegen bepaalde
onderdelen van het besluit geen bezwaren bestaan.

---

53   Bijv. ABRS 21 januari 1998, JB 1998, 93 m.nt. HJS; CRvB 19 juli 2000, JB 2000, 258.
54   PG Awb II, p. 464 (MvA II).
55   HR 24 januari 2003, AB 2003, 139 m.nt. BdeW (JB 2003, 95 m.nt. R.M.P.G.N.C.)
56   PG Awb II, p. 463 (MvT).

Zie hierover de wetsgeschiedenis: '*Wel past hier de kanttekening, dat de rechter niet zonder meer zal kunnen afgaan op de in het beroepschrift geformuleerde grieven. Uit het ontbreken van bepaalde stellingen in het beroepschrift kan men immers niet zonder meer afleiden dat de appellant welbewust bepaalde gebreken niet aan de orde heeft willen stellen en derhalve in deze gebreken zou willen berusten. Het past goed bij de actieve rol die de rechter in de procedure heeft, dat deze de appellant in de gelegenheid stelt zich hieromtrent nader uit te laten.*'[57]

Het is dus niet juist wanneer de rechter de belanghebbende 'ophangt' aan de in het beroepschrift vermelde onderdelen. Als uit later ingediende stukken of op de zitting blijkt dat belanghebbende nog andere onderdelen van het besluit bestrijdt, moet de rechter die ook bij de beoordeling betrekken.[58]

Dit is ook af te leiden uit de tekst van art. 8:69 lid 1 Awb, waarin immers niet is voorgeschreven dat de rechter uitspraak doet 'op de grondslag van het beroepschrift', maar: '*op de grondslag van het beroepschrift, de overgelegde stukken, het verhandelde tijdens het vooronderzoek en het onderzoek ter zitting*'.

Vergelijk ook de volgende overweging van de Centrale Raad van Beroep (overigens daterend van vóór de inwerkingtreding van de Awb, maar nog steeds actueel): '*(...) betekent niet dat onderdelen van een besluit aan het oordeel van de rechter zouden zijn onttrokken indien en zodra daartegen in het ingediende klaagschrift geen grieven zijn ingebracht. Voor gebruikmaking van de bevoegdheid om de uitspraak tot het punt van geschil te beperken zal integendeel in het algemeen slechts aanleiding gevonden kunnen worden indien uit het onderzoek, waartoe mede behoort het onderzoek ter terechtzitting, is gebleken dat overige onderdelen van het besluit dat met het instellen van beroep aan het rechterlijk oordeel is onderworpen niet in de uitspraak behoeven te worden vermeld.*'[59]

De rechter moet dus actief nagaan of tegen onderdelen van het besluit waarover in het beroepschrift niet wordt gerept, inderdaad géén bezwaren bestaan.

Dit zou de rechter kunnen doen door daarnaar te vragen in een brief (art. 8:45 Awb, verzoek om inlichtingen), of door die vraag op de zitting aan de belanghebbende voor te leggen.

Wanneer er toch bezwaren blijken te zijn tegen andere onderdelen van het besluit, dan zal de rechter het onderzoek ter zitting wellicht moeten schorsen en het vooronderzoek moeten hervatten (art. 8:64 lid 1 Awb). Daarna hebben partijen recht op een hernieuwde behandeling ter zitting (art. 8:64 lid 3 Awb).

Als blijkt dat belanghebbende zich bij bepaalde onderdelen van het besluit neerlegt, en daarover geen rechterlijk oordeel wenst, moet de rechter aan die wens gevolg geven.

---

57   PG Awb II, p. 463 (MvT).
58   CRvB 14 november 2000, JABW 2001, 47. Zie anders CRvB 16 april 1998, TAR 1998, 116; ABRS 3 juli 2003, AB Kort 2003, 476.
59   CRvB 7 maart 1989, TAR 1989, 95 m.nt. B.W.N. de Waard.

In het hiervoor gegeven voorbeeld verklaart het Examenbureau het bezwaar onge-grond. De student stapt vervolgens naar de rechter.[60] In zijn beroepschrift betwist hij alleen nog de beoordeling van vraag 13. Op de zitting blijkt dat hij zich inmiddels heeft neergelegd bij de beoordeling van vraag 1. De rechter dient nu uitsluitend vraag 13 te toetsen.

Waar in de bezwaarfase het bestuursorgaan niet gehouden is tot een integrale toetsing, maar dat desgewenst wel mag doen, geldt voor de rechterlijke fase dat de rechter niet integraal mág toetsen. De rechter *moet* zich beperken tot die onderdelen van het besluit, waartegen het beroep van belanghebbende zich richt.[61]
Ook hier geldt het verbod van reformatio in peius: het beroep mag niet leiden tot een verslechtering van de positie van de belanghebbende.

De rechter − die dit wel een leuke zaak vindt − mag dus niet alle antwoorden aan een kritisch onderzoek onderwerpen en uit eigen beweging vraag 5 alsnog fout rekenen. Het verbod van reformatio in peius wordt overigens niet altijd even strikt toege-past.[62] In het sociale zekerheidsrecht geldt een uitzondering voor *boetebesluiten*: de rechter kan in beroep of hoger beroep de boete ook ten nadele van de belangheb-bende wijzigen (zie o.a. art. 140a Abw).

3.4 Onderdeel van een besluit

Het begrip 'onderdeel van een besluit' is niet terug te vinden in de Awb. Wel komt het voor in de wetsgeschiedenis van de Awb, zoals hiervoor aan de orde kwam. Daarin is vermeld dat onderdelen van het besluit waartegen geen bezwaren bestaan, bij de toet-sing buiten beschouwing moeten blijven. Maar wat is eigenlijk een onderdeel van een besluit? In de wetsgeschiedenis zijn geen voorbeelden gegeven om dit te verduidelijken. In plaats van onderdeel van een besluit, wordt soms gesproken over 'punten van geschil', 'delen van een besluit' of 'beslispunten'.
Aan al deze begrippen ligt de gedachte ten grondslag, dat een besluit in stukjes, in onderdelen, kan worden gesplitst. Dit lijkt eenvoudig, maar is dat in de praktijk niet altijd.
Meestal wordt de splitsing aangebracht in de *motivering* van een besluit. Een onderdeel van een besluit is dan een deel van de motivering van dat besluit.

Een café bezorgt overlast doordat telkens de hand wordt gelicht met de sluitingstijden. B&W besluiten tot bestuursdwang over te gaan en sluiten het café voor de periode van

---

60 Het gaat hier om een hypothetisch voorbeeld. Art. 8:4, sub e, Awb bepaalt dat het niet mogelijk is om beroep in te stellen tegen *'de beoordeling van het kennen of kunnen van een kandidaat of leerling die ter zake is geëxamineerd of op enigerlei andere wijze is getoetst (...)'*.
61 Bijv. ABRS 1 april 2003, AB Kort 2003, 293; ABRS 27 november 2002, AB 2003, 67 m.nt. A.T. Marseille.
62 Bijv. CRvB 23 juli 2002, AB 2002, 345 m.nt. HBr.

een half jaar. De motivering van het besluit berust op twee peilers: enerzijds de constatering dat sprake is van de herhaalde overtreding van voorschriften, en anderzijds de overweging dat, na afweging van alle belangen, als maatregel zal worden genomen de sluiting van het café voor een half jaar.

Deze twee aspecten van de motivering kunnen als onderdelen van het besluit worden aangemerkt. Denkbaar is dat het café zich in een bestuursrechtelijke procedure niet verzet tegen de geconstateerde overtreding, maar zich beperkt tot de stelling dat de opgelegde sanctie onevenredig zwaar is. In die situatie beperkt het geschil zich dus tot dat onderdeel van het besluit.

Soms blijkt een onderdeel van een besluit eigenlijk een zelfstandig besluit te zijn. Dit doet zich voor wanneer een schriftelijke kennisgeving van een bestuursorgaan, meerdere, op afzonderlijke rechtsgevolgen gerichte, beslissingen bevat (zie paragraaf 2.8). In die situatie is het verwarrend om over onderdelen van een besluit te spreken, omdat elk 'onderdeel' in feite een zelfstandig besluit is.[63] In deze situatie vloeit al uit het systeem van de Awb voort dat het geding zich beperkt tot het besluit waartegen het beroep zich richt.

Een schrijven van B&W waarin een bestuursdwangaanschrijving is opgenomen, bevat tevens de weigering om een vergunning te verlenen. De bestuursdwangaanschrijving enerzijds en de weigering van de vergunning anderzijds, dienen niet als onderdelen van een besluit te worden aangemerkt, maar als twee afzonderlijke besluiten.

In CRvB 14 november 2000[64] verzocht een belanghebbende op meerdere posten om bijzondere bijstand (zoals schoeisel, bril, ouderbijdrage, thuiszorg). De beslissing op deze aanvraag, waarin sommige posten werden toegewezen en andere afgewezen, is te zien als een verzameling van besluiten. Voor elke post is sprake van een afzonderlijk besluit. In beide voorbeelden geldt dat de toetsing zich dient te beperken tot het aangevallen besluit.

Het is niet altijd eenvoudig om aan te geven of een onderdeel van een besluit nu als een onderdeel van de motivering, of als een zelfstandig besluit moet worden aangemerkt. In de jurisprudentie is op dit punt geen helderheid te vinden.

Denk bijvoorbeeld aan de intrekking van een uitkering, waar het bezwaar van belanghebbende zich richt tegen de intrekking per die datum; volgens hem dient de intrekkingsdatum een maand later te liggen. Is dit een bezwaar tegen een deel van de motivering, of tegen een deel van het rechtsgevolg, en daarmee tegen een afzonderlijk besluit?

In het in paragraaf 3.2 besproken arrest van de HR van 24 januari 2003 overweegt de Hoge Raad nadrukkelijk dat een belastingaanslag níet kan worden beschouwd als *'een meerledig besluit in de zin dat de elementen waaruit het als verschuldigd vastgestelde bedrag is opgebouwd, zouden kunnen worden onderscheiden als even zovele besluitonderdelen.'*[65]

63   Vgl. CRvB 27 februari 2002, RSV 2002, 153.
64   CRvB 14 november 2000, JABW 2001, 47.
65   HR 24 januari 2003, AB 2003, 139 m.nt. BdeW.

Wat wel duidelijk is, is dat het erom gaat dat het bestuursorgaan – of de rechter – dient na te gaan waar het de belanghebbende nu eigenlijk om te doen is. Onderzocht moet worden waartegen de bezwaren van belanghebbende zich precies richten. Dát is de essentie van de formule dat de toetsing zich moet beperken tot 'de aangevochten onderdelen van het besluit'.

3.5 De vordering

Bij de afbakening van de toetsing wordt ook wel gebruik gemaakt van het begrip *vordering*. Dit is van oorsprong een civielrechtelijk begrip, dat niet voorkomt in de Awb.

> In het civiele procesrecht geldt dat de dagvaarding een *eis* bevat (art. 111 lid 1, sub d Rv). Uit die eis moet duidelijk blijken wat de eisende partij precies vordert van de wederpartij. Dat is de vordering van eiser.
> Art. 6:5 Awb – dat opsomt wat vermeld moet zijn in een bezwaar- of beroepschrift – bepaalt níet dat het bezwaar- of beroepschrift een vordering bevat.

Analoog aan de civielrechtelijke betekenis wordt ook in het bestuursrecht wel gesproken over de vordering van een belanghebbende. In de vordering geeft de belanghebbende aan, als een soort conclusie van zijn bezwaren, wat hij precies wil bereiken met zijn beroep. De vordering is het resultaat waarop het beroep is gericht, zo zou men kunnen zeggen.[66]
Vrijwel altijd zal dat zijn: de vernietiging van het bestreden besluit. Vernietiging kan worden gevraagd van het gehele besluit, of van een gedeelte daarvan (art. 8:72 lid 1 Awb). In dat laatste geval dient de rechterlijke toetsing zich te beperken tot die gedeeltes van het besluit waarvan vernietiging wordt gevorderd.

> Een enkele keer komt het voor dat een belanghebbende het wel eens is met het aan het bestreden besluit verbonden rechtsgevolg, maar bezwaar heeft tegen de motivering die daaraan ten grondslag is gelegd. De rechter mag dan niet het besluit vernietigen.

Naast de vordering tot vernietiging van het bestreden besluit, geeft de Awb ook de mogelijkheid tot het instellen van een aantal *nevenvorderingen*.

> Naast vernietiging van het bestreden besluit kan ook worden gevorderd dat het bestuur wordt opgedragen een nieuw besluit te nemen of een andere handeling te verrichten (art. 8:72 lid 4 Awb); dat de rechter zelf voorziet in de zaak (art. 8:72 lid 4, slot, Awb); dat de rechtsgevolgen van het besluit geheel of gedeeltelijk in stand worden gelaten (art. 8:72 lid 3 Awb); dat schadevergoeding wordt toegekend (art. 8:73 Awb); dat het griffierecht wordt vergoed (art. 8:74 Awb); dat een proceskosten- veroordeling wordt uitgesproken (art. 8:75 Awb).

---

66   R.J.G.M. Widdershoven e.a., *Algemeen bestuursrecht 2001: hoger beroep*, Den Haag 2001, p. 11.

Deze nevenvorderingen kunnen – uitgezonderd vergoeding van het griffierecht en een proceskostenveroordeling – pas aan de orde komen bij gegrondverklaring van het beroep en vernietiging van (een gedeelte van) het besluit. Dit heeft tot gevolg dat alleen in hoger beroep, wanneer de eerste rechter al de vernietiging van het besluit heeft uitgesproken, zich de situatie kan voordoen dat de belanghebbende zich beperkt tot een van de nevenvorderingen.

> Zo kan het hoger beroep zich uitsluitend richten op het verkrijgen van een proceskostenveroordeling, wanneer de rechtbank dit, ondanks vernietiging van het bestreden besluit, heeft nagelaten.[67]

Dat de rechter zich, aan de hand van de vordering van belanghebbende, moet beperken tot de aangevochten onderdelen van het besluit, heeft ook gevolgen voor het dictum. Indien het beroep gegrond is, moet de rechter het besluit alleen vernietigen, *voor zover* het beroep daartegen was gericht. Een integrale vernietiging van het bestreden besluit is dan onjuist.[68]

Wanneer de rechter een beslissing neemt over een onderdeel waarover niets was gevorderd door de belanghebbende, treedt de rechter *'buiten de vordering'*. Men zegt wel dat de rechter dan *'ultra petita'* gaat.

> Wanneer de rechter, in het eerder gegeven voorbeeld van de student en het Examenbureau, toch een beoordeling zou geven van vraag 1 en op die grond het bestreden besluit zou vernietigen, is de rechter buiten de vordering, dus buiten de omvang van het geding, getreden.
>
> Een voorbeeld biedt ook de zaak waarin het Uwv de relatie tussen werkgever X en een aantal taxichauffeurs had aangemerkt als een verzekeringsplichtige arbeidsverhouding. X stelde beroep in tegen dit besluit. De rechtbank oordeelde niet alleen – terecht – dat níet van een verzekeringsplichtige arbeidsverhouding tussen X en de chauffeurs sprake was (wat tot vernietiging van het besluit leidde), maar ook dat een derde partij, Y, wél zo'n arbeidsverhouding had met de chauffeurs. Dit laatste oordeel viel buiten de vordering van X (overigens ook buiten de grenzen van het besluit), zodat de rechtbank daarmee buiten de omvang van het geding trad.[69]

Een beroepschrift bevat overigens lang niet altijd een duidelijke conclusie. Vaak procedeert een belanghebbende zonder gemachtigde en weet hij niet dat het handig is om het beroepschrift te besluiten met een vordering. De rechter zal dan uit het beroepschrift – ondersteund door de toelichting van belanghebbende op de zitting – moeten afleiden waarop de vordering precies is gericht. In ieder geval is het níet zo dat de rechter alleen de vernietiging van een besluit kan uitspreken, wanneer dit expliciet is gevorderd in het beroepschrift.

---

67   Bijv. ABRS 16 november 1999, AB 2000, 24 m.nt. MSV.
68   ABRS 3 oktober 2001, AB 2001, 368 m.nt. NV; CRvB 14 november 2000, JABW 2001, 47; ABRS 17 juli 1998, AB 1998, 343.
69   Vz CRvB 17 mei 2002, JB 2002, 192.

Ook om zelf te voorzien in de zaak (art. 8:72 lid 4 Awb) is niet vereist dat belanghebbende een daarop gericht verzoek (een vordering) heeft ingediend. De rechter kan dit ambtshalve doen. Verder hoeft belanghebbende ook niet te vragen om vergoeding van griffierecht of een proceskostenveroordeling (artt. 8:74 en 8:75 Awb). De rechter is verplicht bij gegrondverklaring van het beroep het bestuur op te dragen het griffierecht te vergoeden. In andere gevallen is de rechter bevoegd die beslissing ambtshalve te nemen. Verder is de rechter bevoegd een proceskostenveroordeling ambtshalve uit te spreken, althans voor wat betreft de kosten van de beroepsmatig[70] verleende rechtsbijstand (als sprake is van vernietiging van het besluit).[71] Voor overige proceskosten dient een expliciet verzoek te worden gedaan.[72]

Ook voor schadevergoeding op de voet van art. 8:73 Awb is een expliciet verzoek (een nevenvordering) van belanghebbende nodig.[73] Bij een niet nader gespecificeerd verzoek om schadevergoeding, is het – volgens de Centrale Raad van Beroep – de rechter wel toegestaan om dit op te vatten als een verzoek om toewijzing van wettelijke rente, en dit (min of meer) ambtshalve toe te kennen.[74]

Een actieve rechter zal zonodig op de zitting aan belanghebbende vragen of hij prijs stelt op vergoeding van de wettelijke rente indien hij de procedure wint en, bij een bevestigde beantwoording, daarvan melding maken in het proces-verbaal van de zitting.

In dit licht heeft de inhoud van de vordering bij de begrenzing van de reikwijdte van de toetsing in de meeste gevallen geen zelfstandige betekenis.[75] Belangrijker is om aan de hand van het beroepschrift en de eventuele nadere (mondelinge) toelichting daarop, er achter te komen waarom het belanghebbende precies te doen is in de procedure. Wat is het *doel* dat hij wil bereiken met zijn bezwaar of beroep. Dáár moet de toetsing zich op richten. De inhoud van de vordering kan daarbij een hulpmiddel zijn.

3.6 De gronden en de grieven

Bij de analyse van het beroepschrift wordt wel een onderscheid gemaakt tussen 'gronden' en 'argumenten'.[76] De *gronden* van het bezwaar of beroep zijn de redenen van een belanghebbende waarom hij het niet eens is met het besluit.

---

70 In ABRS 29 juni 1995, JB 1995, 206 was daarvan geen sprake.
71 ABRS 23 mei 2003, AB kort 2003, 415; ABRS 31 mei 1999, AB 1999, 312 m.nt. MSV; ABRS 6 juni 1996, AB 1997, 156 m.nt. B.J. Schueler (JB 1996, 173 m.nt. JMED); CRvB 6 februari 1996, AB 1996, 127 m.nt. F.J.L. Pennings; CRvB 28 augustus 1995, JB 1995, 242 (RSV 1996, 59).
72 ABRS 6 juni 1996, AB 1997, 156 m.nt. B.J. Schueler; ABRS 31 mei 1999, AB 1999, 312 m.nt. MSV.
73 CRvB 6 augustus 1997, AB 1997, 392 (JB 1997, 222).
74 CRvB 6 augustus 1997, JB 1997, 222 m.nt. bij JB 1997, 217.
75 Anders: R. Kooper, die bij zijn bespreking van art. 8:69 juist *de vordering* centraal stelt. Zie: Wie is er bang voor aanvulling van rechtsgronden? in: *NTB* (2000) p. 167-177.
76 T. Hoogenboom, De Afdeling bestuursrechtspraak van de Raad van State als appelrechter, in: *NTB* (1998) p. 126-135, p.129; vgl. ook: R.J.G.M. Widdershoven e.a., *Algemeen bestuursrecht 2001: hoger beroep*, Den Haag 2001, p. 10; D. Allewijn, Een nieuw denkmodel voor de bestuursrechter, in: *RM Themis* (1998) p. 291-298, p. 296.

Zie art. 6:5 lid 1 Awb: *'Het bezwaar of beroepschrift wordt ondertekend en bevat ten minste:*
(...)
d. de gronden van het bezwaar of beroep.'

De gronden worden ook wel aangeduid als 'stellingen' of 'bezwaren'. De *argumenten* geven een onderbouwing aan de gronden. Een grond moet dus aannemelijk worden gemaakt met behulp van argumenten. Tot de argumenten worden zo ook de bewijsmiddelen gerekend.[77]

In dit boekje zal ik dit onderscheid niet gebruiken. Een duidelijk onderscheid tussen gronden en argumenten is niet te maken en het is verwarrend om een bewijsmiddel aan te duiden als een argument. Een *bewijsmiddel* is een middel om bewijs te leveren (vergelijk art. 152 Rv) – zoals een brief of een verklaring van een getuige –, waarmee een argument kan worden onderbouwd.

Verder geeft het onderscheid tussen gronden en argumenten geen verheldering bij de analyse van de rechtspraak.

Ik zal dan ook steeds spreken over *argumenten* of *bezwaren*: de redenen die een belanghebbende aanvoert in zijn bezwaar- of beroepschrift ter onderbouwing van de stelling dat het besluit vernietigd dient te worden.

Het onderscheid tussen gronden en argumenten wordt soms gebruikt bij de beantwoording van de vraag in hoeverre in hoger beroep nieuwe stellingen mogen worden ingenomen. Zie hierover paragraaf 9.5.

Ook het gebruik van het begrip *grieven* is verwarrend. In de eerste plaats, omdat dit begrip eigenlijk thuis hoort in het hoger beroep. Het gebruik van het begrip 'grief' voor een in bezwaar of beroep aangevoerd argument, is dan ook minder gelukkig.[78]

Zie voor het strafrechtelijke hoger beroep art. 410 Sv, waar de facto overigens geen grievenstelsel bestaat. In het civiele procesrecht is voor het hoger beroep buitenwettelijk een grievenstelsel ontwikkeld; de term 'grief' komt niet voor in Rv.

Maar ook voor het hoger beroep is een terughoudend gebruik van het begrip 'grief' op zijn plaats, omdat het bestuursprocesrecht – uitgezonderd het vreemdelingenrecht – geen grievenstelsel kent. Daarmee ontbreekt ook in hoger beroep een duidelijke begripsbepaling van de 'grief'.

De laatste jaren ontwikkelt de rechtspraak van de Afdeling bestuursrechtspraak zich steeds meer richting een soort grievenstelsel, zie hierover nader paragraaf 9.8.

---

77   F.A.M. Stroink en R.J.G.M. Widdershoven, Hoger beroep in het bestuursrecht. Deel I, Herkansing of trechter? in: *JB-plus* (2001) p. 163-174, p. 166.
78   Bijv. CRvB 11 december 2001 AB 2002, 63 m.nt. FP. Overigens wordt ook in de wetsgeschiedenis over grieven gesproken: zie de in paragraaf 3.3 aangehaalde passage.

Het begrip 'grieven' zal ik dan ook zo veel mogelijk mijden. Ook voor het hoger beroep spreek ik over *argumenten* of *bezwaren* van belanghebbende. Hiermee is echter niet bedoeld een onderscheid te maken met grieven of gronden.

Bij de vraag naar de reikwijdte van de toetsing zal aan de hand van de in het beroepschrift aangevoerde argumenten en bezwaren − en van wat verder nog in de procedure naar voren komt − moeten worden beoordeeld waartegen het beroep zich precies richt.

> Beroep wordt ingesteld tegen het besluit om een belanghebbende geen aanspraak te geven op een vervoersvoorziening op grond van de Wvg, omdat hij meer dan driehonderd meter zelf kan lopen. In het beroepschrift wordt aangevoerd dat het veel te duur is om een taxi te nemen, en dat zo niet meer op bezoek kan worden gegaan bij de kleinkinderen.
> Indien, na verificatie bij betrokkene, blijkt dat betrokkene het wel eens is met de vaststelling dat hij meer dan driehonderd meter kan lopen, is tegen die vaststelling dus geen argument gericht of bezwaar gemaakt. Daarom zal dit onderdeel van de motivering van het besluit in beginsel buiten de reikwijdte van de toetsing vallen.

Derhalve wordt aan de hand van de inhoud van het beroepschrift een afbakening van de reikwijdte van de toetsing gemaakt.

3.7 Bestuursrecht als rechtsbescherming en geschillenbeslechting

De keuze van de wetgever voor het uitgangspunt dat alleen die onderdelen van het besluit moeten worden getoetst waartegen belanghebbende bezwaar heeft, vloeit voort uit de gedachte dat de primaire doelstelling van het bestuursprocesrecht *rechtsbescherming* is. Het bestuursprocesrecht wil de burger bescherming bieden tegen het onrechtmatig optreden van de − machtige(re) − overheid.[79]

Beoogd is verder, zo blijkt uit de wetsgeschiedenis, dat het bestuursprocesrecht *'een adequaat kader dient te bieden voor het bindend beslechten van een rechtsgeschil tussen burger en bestuursorgaan.'*[80] Naast rechtsbescherming gaat het dus om *geschillenbeslechting*. Het procesrecht moet dit mogelijk maken.

Rechtsbescherming en geschillenbeslechting zijn daarmee de centrale doelstellingen van het bestuursprocesrecht onder de Awb geworden. Een consequentie hiervan is dat de rechter zich niet dient bezig te houden met kwesties die haar niet worden voorgelegd.

> Zie de wetsgeschiedenis: *'Een belangrijke relativering is, dat de rechter in beginsel is gebonden aan de omvang van het geschil zoals door de indiener van het beroepschrift − en mogelijk derden-belanghebbenden − aan hem voorgelegd. Meer is, gelet op de rechtsbeschermingsfunctie en het gegeven van het bestaan van een rechtsbetrekking tussen partijen, niet nodig en ook niet*

---

79 PG Awb II, p. 172-174 (MvT).
80 PG Awb II, p. 174 (MvT).

gewenst. De rechter behoort derhalve niet buiten de omvang van het voorgelegde geschil te treden, niet ultra petita te gaan.[81]

In dit verband wordt ook wel gezegd dat de partijautonomie onder de Awb is versterkt. Daar tegenover is de taak van de rechter als 'dominus litis' afgenomen. Dat betekent dat de rechter steeds rekening dient te houden met de omvang van het geschil, zoals dat door partijen is voorgelegd.

De uitdrukking dat de rechter 'dominus litis' is, houdt, kort gezegd, in dat het de rechter is die de gang van zaken in de procedure bepaalt.

Deze ontwikkeling moet worden in gezien in relatie tot de klassieke visie op het bestuursprocesrecht, dat wil zeggen die van vóór de inwerkingtreding van de Awb. Daarin stond niet rechtsbescherming en geschillenbeslechting, maar *handhaving van het objectieve recht* voorop. Daarmee werd bedoeld dat de rechter dient te controleren of het bestuur zijn taken uitoefent overeenkomstig alle toepasselijke wet- en regelgeving, onafhankelijk van de vraag of daarover tussen burger en bestuursorgaan verschil van mening bestaat. Deze controle diende primair het algemeen belang.[82] In deze klassieke visie diende de rechter te toetsen of het besluit op alle punten genomen was in overeenstemming met het toepasselijke recht. Deze wijze van toetsen werd aangeduid als een integrale rechtmatigheidstoets. De rechter mocht zich dan juist níet beperken tot een beoordeling van de door partijen aangedragen punten van geschil.

Als hét nadeel van de vroegere integrale rechtmatigheidstoets werd beschouwd dat een belanghebbende door het instellen van beroep bij de rechter in een slechtere positie kon komen te verkeren dan daarvoor. Namelijk wanneer de rechter, buiten de door belanghebbende opgeworpen bezwaren om, oordeelde dat het besluit in strijd met het recht was. De belanghebbende was daardoor slechter af dan wanneer hij geen beroep zou hebben ingesteld. Zo'n verslechtering van de processuele positie van de belanghebbende door het instellen van beroep bij de rechter – de in paragraaf 3.2 al genoemde *reformatio in peius* –, werd algemeen als onwenselijk beschouwd. Als een belangrijk voordeel van het uitgangspunt dat de rechter zich niet moet bemoeien met onderdelen van een besluit waartegen geen bezwaren bestaan, maar zich moet beperken tot geschillenbeslechting, zag de wetgever dan ook dat daarmee een einde zou worden gemaakt aan de mogelijkheid van een reformatio in peius.[83]
Hierbij past echter een kanttekening. De tegenstelling tussen enerzijds bestuursrecht als handhaving van het recht en anderzijds bestuursrecht als geschillenbeslechting, is bepaald niet zo scherp te trekken. Reeds lang voor de inwerkingtreding van de Awb werd al afscheid genomen van de toezichtfunctie van het bestuursrecht.[84] Zo blijkt

---

81 PG Awb II, p. 175 (MvT).
82 Vgl. TK 1991-1992, 22 495, nr. 3 p. 31 (MvT).
83 PG Awb II, 175, 463 (MvT).
84 N. Verheij, Een klantvriendelijke rechter, in: *Nieuw bestuursprocesrecht*, J.B.J.M. ten Berge e.a., Deventer 1992, p. 131-149, met verdere literatuurverwijzingen.

bijvoorbeeld, toegespitst op het probleem van de reformatio, dat ook in de rechtspraak van vóór de Awb al werd geoordeeld dat een reformatio in peius slechts in
uitzonderlijke gevallen was toegestaan, terwijl nu onder de Awb de reformatio zeker
niet uitgebannen is. [85]

Allewijn heeft de gewijzigde taakopvatting gekwalificeerd als een *nieuw denkmodel* voor
de bestuursrechter.[86] De kern van dit gewijzigde denkmodel is dat de rechter steeds
voor ogen dient te houden wat nu eigenlijk de inzet van belanghebbende in de procedure is. Wat wil belanghebbende bereiken, waar gaat het hem eigenlijk om? De rechter
moet 'doorstoten naar het materiële geschil'.[87]

3.8 Relativering door toepassing samenhangcriterium

Binnen de door het besluit gegeven buitengrenzen wordt de reikwijdte van de toetsing
nader beperkt tot de onderdelen van het besluit waartegen de bezwaren van een belanghebbende zich richten. Dat vloeit voort uit de gedachte dat de procedure zich moet
richten op geschillenbeslechting, zo kwam aan de orde.
In de praktijk blijkt echter dat het uitgangspunt dat de rechter zich moet beperken tot
toetsing van de aangevochten onderdelen van het besluit, gerelativeerd moet worden. In
de rechtspraak wordt namelijk een belangrijke nuancering aangebracht door toepassing
van het *verwevenheids- of samenhangcriterium*.[88]
Dit criterium houdt in dat wanneer tussen de onderdelen van een besluit verwevenheid
of samenhang bestaat, het *gehele* besluit moet worden getoetst. Het criterium is vooral
toepasbaar wanneer een belanghebbende tegen een bepaald *onderdeel van de motivering* van
een besluit bezwaren aanvoert en andere onderdelen onbetwist laat. De rechter mag zich
dan niet beperken tot toetsing van het onderdeel van de motivering van het besluit waartegen de aangevoerde bezwaren zich richten, maar moet de gehele motivering toetsen.

Niet echt duidelijk is wanneer moet worden aangenomen dat onderdelen van (de
motivering van) een besluit zodanig samenhangen, dat het gehele besluit moet worden beoordeeld. In de rechtspraak van de Centrale Raad van Beroep is daarover geen
verder houvast te vinden. Daarmee mist het een helder onderscheidend vermogen.

Het resultaat van deze benadering is dat het bestreden besluit integraal, in al zijn aspecten, wordt getoetst, onafhankelijk van de vraag welke onderdelen in het beroepschrift
precies worden bestreden.

Deze manier van toetsen is bijvoorbeeld te zien in arbeidsongeschiktheidszaken.

---

85   Bijv. CRvB 23 juli 2002, AB 2002, 345 m.nt. HBr.
86   D. Allewijn, Een nieuw denkmodel voor de bestuursrechter, in: *RM Themis* (1998) p. 291-298.
87   D. Allewijn, zie vorige noot, p. 294.
88   CRvB 4 juli 2003, AB Kort 2003, 557; CRvB 29 april 2003, JB 2003, 191; CRvB 17 mei 2000, JB 2000,
      190 (USZ 2000, 162); CRvB 18 december 1998, JB 1998, 18 m.nt. R.J.N.S. (RSV 1999, 198).

Wanneer een belanghebbende beroep instelt tegen een besluit waarin zijn mate van arbeidsongeschiktheid is vastgesteld, moet de rechter steeds zowel de medische als de arbeidskundige aspecten beoordelen, ook wanneer belanghebbende slechts tegen het medische gedeelte bezwaren aanvoert. Zie hierover CRvB 18 december 1998[89]: '*Gelet op de samenhang tussen de medische en de arbeidskundige kant van een arbeidsongeschiktheidsbeoordeling, kan niet staande worden gehouden dat de rechtbank buiten de grenzen van het voorgelegde geschil is getreden, en aldus art. 8:69, eerste lid van de Awb heeft geschonden (...).*'
Het integraal toetsen van het besluit beperkt zich echter zeker niet tot arbeidsongeschiktheidszaken.

Dit resultaat, integrale toetsing van het bestreden besluit, strookt met de aan het bestuursprocesrecht ten grondslag liggende doelstelling van rechtsbescherming. Een beperking van de toetsing van een besluit tot de aangevochten onderdelen, kan immers behoorlijk nadelig uitpakken voor een belanghebbende. De belanghebbende moet inzicht hebben in de verschillende onderdelen van de motivering van een besluit en weten tegen welke onderdelen daarvan hij dient aan te vechten, om het gewenste resultaat – vernietiging van het bestreden besluit – te bereiken. Dit is echter in veel gevallen een brug te ver.

Zo ervaren veel mensen een arbeidsongeschiktheidsbeoordeling vooral als een beoordeling van hun medische situatie, dat wil zeggen van de vraag of zij medisch gezien in staat zijn om nog arbeid te verrichten. In hun bezwaar- of beroepschrift richten zij zich dan ook vaak uitsluitend op de medische beoordeling. Voor de uitkomst van de beoordeling is de arbeidskundige beoordeling echter van minstens evenveel belang. Deze is ingewikkeld, technisch en ondoorzichtig. Zeker wanneer een belanghebbende zonder gemachtigde procedeert, zal het arbeidskundige aspect vaak buiten beschouwing worden gelaten in het beroepschrift. Daarmee wordt de kans gemist om winst te boeken op dit aspect.

In de praktijk wordt het samenhangcriterium veel toegepast in de rechtspraak van de Centrale Raad van Beroep, ook al wordt dat lang niet altijd expliciet overwogen. We zien dan dat de Centrale Raad het bestreden besluit integraal toetst. Van een uiteenrafeling van de motivering van een besluit in bestreden en onbestreden onderdelen, is geen sprake. De toetsing wordt niet beperkt tot de aangevochten onderdelen van een besluit. In het kielzog hiervan dient dit ook de werkwijze te zijn van de rechtbanken op de deelgebieden van het bestuursrecht die tot het domein van de Centrale Raad van Beroep horen.
Alleen wanneer een belanghebbende uitdrukkelijk van de rechter verlangt dat deze zich beperkt tot een bepaald onderdeel van het besluit, is er aanleiding om de beoordeling tot dat aspect te beperken.

---

89   CRvB 18 december 1998, JB 1999, 18 m.nt. R.J.N.S. (RSV 1999, 198).

Zie de hiervoor al aangehaalde uitspraak CRvB 18 december 1998[90]: '(...) *zulks terwijl hij niet van de rechtbank uitdrukkelijk heeft verlangd dat zij zich uitsluitend tot de medische kant van de onderhavige arbeidsongeschiktheidsbeoordeling zou beperken.*'

Verder kan er soms een bijzondere reden zijn om de beoordeling te beperken tot een bepaald onderdeel van het besluit.

Neem de situatie dat een arbeidsongeschiktheidsbeoordeling wordt aangevochten, waarbij de rechter een zorgvuldigheidsvernietiging uitspreekt voor wat betreft het arbeidskundige deel. Op het medische aspect krijgt de burger ongelijk. Het bestuursorgaan voert opnieuw een arbeidskundige beoordeling uit en neemt een nieuw besluit, waartegen wederom beroep wordt ingesteld. De toetsing is nu beperkt tot een beoordeling van de arbeidskundige component.[91] Zie hierover ook paragraaf 4.5.

In de jurisprudentie van de Afdeling bestuursrechtspraak wordt, voor zover is af te leiden uit de gepubliceerde rechtspraak, geen gebruik gemaakt van het samenhangcriterium. Doorgaans wordt strak vastgehouden aan de regel dat onderdelen van een besluit waartegen geen bezwaren zijn aangevoerd, buiten de omvang van de toetsing vallen. Hiermee is sprake van een *grievenstelsel* bij de Afdeling: alleen dat deel van het besluit, waartegen een grief is gericht, is onderwerp van de rechterlijke toetsing.

Vergelijk voor het grievenstelsel ook de paragrafen 4.7 en 9.8.

De Afdeling controleert ambtshalve of de rechtbank zich aan die regel houdt: ook de rechtbank mag alleen die onderdelen van het besluit beoordelen, waartegen belanghebbende in beroep opkomt (vergelijk paragraaf 5.3.7). Zo mag de rechtbank niet treden in aspecten van de motivering van een besluit waartegen door belanghebbende geen bezwaren zijn aangevoerd.

B&W laten een aanschrijving bestuursdwang met dwangsom uitgaan aan de uitbater van een pension. Vaststaat dat het gebruik van het pension in strijd is met het vigerende bestemmingsplan. In beroep bij de rechtbank voert de uitbater aan dat het gewraakte gebruik onder het overgangsrecht valt. De rechtbank verwerpt die stelling, maar vernietigt desalniettemin het besluit omdat het bestuursorgaan bij zijn keuze om een dwangsom op te leggen, de belangen van de uitbater 'niet ten volle heeft meegewogen'. Nu de uitbater echter bij de rechtbank in het geheel niet had aangevoerd dat B&W ten onrechte voor het middel van een dwangsom hadden gekozen, is de Afdeling van oordeel dat de rechtbank buiten de grenzen van het geschil is getreden.[92]
De rechtbank had hier een niet-bestreden onderdeel van het besluit bij de toetsing betrokken.

90   CRvB 18 december 1998, JB 1999, 18 m.nt. R.J.N.S. (RSV 1999, 198).
91   CRvB 23 juni 2000, JB 2000, 233.
92   ABRS 4 november 1996, JB 1997, 5. Idem ABRS 11 april 2003, AB 2003, 281 m.nt. A.T. Marseille; ABRS 27 november 2002, AB 2003, 67 m.nt. A.T. Marseille.

De rechtspraak van enerzijds de Centrale Raad van Beroep en anderzijds de Afdeling bestuursrechtspraak loopt op dit punt dus niet gelijk op. Het verschil in benadering laat zich als volgt samenvatten.

Als hoofdregel geldt voor de Afdeling bestuursrechtspraak dat alleen de uitdrukkelijk aangevochten onderdelen van een besluit binnen de reikwijdte van de toetsing vallen. Voor de Centrale Raad van Beroep geldt dat de motivering van het bestreden besluit in beginsel integraal wordt getoetst, tenzij de belanghebbende expliciet aangeeft dat hij de toetsing tot bepaalde onderdelen daarvan wenst te beperken. Ook kunnen er andere redenen zijn om de toetsing te beperken tot bepaalde onderdelen van de motivering van het besluit.

3.9 Samenvatting

Onderwerp van de rechterlijke toetsing is niet altijd het gehele besluit. De rechter dient zich in beginsel te beperken tot die onderdelen van het besluit, waartegen de bezwaren of argumenten van een belanghebbende zich richten. De gedachte hierbij is dat de bestuursrechter zich moet richten op geschillenbeslechting, derhalve op wat partijen werkelijk verdeeld houdt. De rechter moet zich niet ambtshalve mengen in kwesties waarover partijen het eens zijn.

Wat precies moet worden verstaan onder een onderdeel van een besluit, is niet geheel duidelijk. Soms gaat het om een deel van de motivering van een besluit; soms om een afzonderlijk rechtsgevolg van het besluit. In dat laatste geval is in feite sprake van een ander besluit.

Het uitgangspunt dat de toetsing door de rechter zich moet beperken tot de aangevallen onderdelen van een besluit, wordt in de rechtspraak van de Centrale Raad van Beroep gerelativeerd door toepassing van het verwevenheids- of samenhangcriterium. Dit criterium houdt in dat wanneer onderdelen van de motivering met elkaar samenhangen of verweven zijn, de rechter integraal (de gehele motivering van) het besluit toetst. In de praktijk werkt dit zo uit, dat de Centrale Raad van Beroep in beginsel het gehele besluit toetst, tenzij er een bijzondere reden is om dit niet te doen. Daarvan kan sprake zijn indien duidelijk is dat een belanghebbende uitdrukkelijk aangeeft dat hij tegen een bepaald onderdeel van de motivering van een besluit geen bezwaren heeft.

In de rechtspraak van de Afdeling bestuursrechtspraak wordt het samenhangcriterium niet toegepast. Dit appelcollege past het uitgangspunt dat de reikwijdte van de toetsing beperkt dient te zijn tot de bestreden onderdelen van een besluit, strikt toe.

HOOFDSTUK 4

Inhoud van de toetsing: ambtshalve aanvullen van rechtsgronden

4.1 Inleiding

Waar het tot nu toe ging over de reikwijdte van de toetsing, is in hoofdstuk 4 en 5 de *inhoud* van de toetsing aan de orde. De inhoud van de toetsing heeft betrekking op het *kwaliteitsaspect* van de toetsing: 'hoe' of 'waaraan' moet er getoetst worden.

De bestuursrechter toetst aan het recht, zo wordt wel gezegd.[93] Maar betekent dit dat de bestuursrechter een besluit steeds ambtshalve aan alle geschreven en ongeschreven rechtsregels moet toetsen? Uit de wetsgeschiedenis lijkt dit wel te volgen.[94] Ook de tekst van art. 8:69 lid 2 Awb lijkt in die richting te wijzen.

In dit hoofdstuk zal eerst aan de orde komen wat het aanvullen van rechtsgronden inhoudt. Daarna zal blijken dat er in literatuur en jurisprudentie geen overeenstemming bestaat over de vraag in welke mate de bestuursrechter gebruik moet maken van de verplichting om ambtshalve rechtsgronden aan te vullen: er is een enge opvatting en een ruime opvatting. Verder verschilt het per rechtsgebied in hoeverre de rechter rechtsgronden aanvult.

Duidelijk is wel dat rechtsgronden van *openbare orde* altijd moeten worden aangevuld. Dit wordt besproken in hoofdstuk 5.

4.2 Aanvullen van rechtsgronden

Art. 8:69 lid 2 Awb schrijft voor dat de bestuursrechter ambtshalve de rechtsgronden moet aanvullen. Het gaat hier niet om een bevoegdheid, maar om een verplichting.[95] Uit de wetsgeschiedenis blijkt dat deze bepaling is overgenomen uit het civiele procesrecht.

> Zie de memorie van toelichting bij art. 8:69 Awb: *'Overeenkomstig artikel 48 van het Wetboek van Burgerlijke Rechtsvordering is in het tweede lid bepaald dat de rechter ambtshalve de rechtsgronden aanvult.'*[96]

Art. 8:69 lid 2 Awb heeft derhalve in beginsel dezelfde betekenis als het oude art. 48 Rv (tegenwoordig art. 25 Rv) in het civiele procesrecht.

---

93 PG Awb II, p. 501 (MvA II).
94 Zie vorige noot.
95 PG Awb II, p. 464 (MvA II); p. 175 (MvT).
96 PG Awb II, p. 463 (MvT).

Art. 25 Rv (art. 48 (oud)) luidt als volgt:
'De rechter vult ambtshalve de rechtsgronden aan.'

De strekking van deze bepaling is dat de rechter het op de te beoordelen zaak toepasselijke recht moet toepassen, ook wanneer partijen zich daarop niet hebben beroepen.[97] De rechter moet dus zelfstandig en onafhankelijk van partijen nagaan welke rechtsregels van toepassing zijn op het geschil.

In de woorden van Kooper: *'De rechter wordt geacht het recht te kennen en op het geschil zelfstandig de juiste rechtsregels toe te passen.* Juist *wil hier zeggen: geen regels toepassen die niet relevant zijn voor het geschil, alle regels toepassen die wel relevant zijn en aan die relevante regels de rechtens correcte inhoud toekennen.* Zelfstandig *wil zeggen: onafhankelijk van juridische argumenten die door partijen zijn aangevoerd en waar nodig zelfs in afwijking van een door partijen unaniem verdedigde rechtsopvatting.'*[98]

Het aanvullen van rechtsgronden betekent voor de rechter in ieder geval dat zij de juiste juridische kwalificatie aan de stellingen van partijen moet geven. De rechter 'vertaalt' het beroep in juridische termen.[99]

Een belanghebbende stelt beroep in tegen de verlening van een bouwvergunning voor een windturbine. Hij voert aan dat de oprichting van een windturbine leidt tot visuele hinder, horizonvervuiling en aantasting van het karakteristieke landschap. De rechter behoort dit te vertalen als een beroep op strijd met de eisen van welstand (een van de wettelijke weigeringsgronden voor een bouwvergunning). De rechter vult zo de rechtsgronden aan.[100]

Een belangrijk verschil tussen het bestuursprocesrecht en het civiele procesrecht is dat in het civiele procesrecht de plicht tot het aanvullen van de rechtsgronden zowel geldt voor de vordering van eiser, als voor het verweer van gedaagde. In het bestuursprocesrecht heeft de aanvulling van rechtsgronden echter alleen betrekking op één van de procespartijen: de belanghebbende. Het is níet de bedoeling dat de rechter, ten behoeve van het bestuursorgaan, de rechtsgronden van het besluit aanvult. Anders zou de belanghebbende er door het instellen van beroep op achteruit kunnen gaan, waardoor sprake zou zijn van een verboden *reformatio in peius*.

Het bestuursorgaan weigert een WW-uitkering, omdat betrokkene verwijtbaar werkloos is geworden aangezien hij zich zodanig heeft gedragen dat hij kon vermoeden dat ontslag zou volgen. De rechtbank oordeelt dat deze weigeringsgrond geen stand kan houden, maar overweegt ambtshalve dat wel uitkering kan worden geweigerd,

---

97   Losbladige Rv (oud) (Asser), aant. 2 bij art. 48.
98   R. Kooper, Ambtshalve toetsing en aanvulling van rechtsgronden, in: *JB-plus* (2002), p. 84-89, p. 85.
99   Vgl. M.F.J.M. de Werd, Ius curia novit: ambtshalve aanvullen van rechtsgronden door de bestuursrechter, in: *NJB* (1998) p. 687-694.
100   ABRS 12 maart 2003, JB 2003,124 m.nt. C.L.G.F.H.A. (AB Kort 2003, 254).

omdat het gegeven ontslag niet is aangevochten en op die grond sprake is van verwijtbare werkloosheid. Dit is niet toegestaan: de rechtbank mag niet de rechtsgronden van het besluit aanvullen.[101]

Het aanvullen van rechtsgronden beperkt zich in het bestuursrecht derhalve in beginsel tot het beroep van de *belanghebbende*.[102]

> Zie ook de wetsgeschiedenis bij art. 8:69 Awb[103]: '*Wij wijzen erop, dat de verplichting van de rechter om ambtshalve de rechtsgronden aan te vullen, niet op gespannen voet staat met het verbod van reformatio in peius. Immers, deze verplichting moet worden gelezen in samenhang met de verplichting om op de grondslag van het beroepschrift uitspraak te doen. Met andere woorden: het gaat om het aanvullen van de rechtsgronden van het beroep.*'

Alleen wanneer de rechter ambtshalve toetst aan rechtsgronden van openbare orde, kan sprake zijn van het aanvullen van rechtsgronden ten behoeve van het *bestuursorgaan*. Zie hierover nader hoofdstuk 5.

Zoals al aan de orde kwam in paragraaf 2.9, mag de rechter – soms moet zij dit zelfs – bij een gebrekkige motivering van een besluit, het bestuursorgaan wel om een aanvulling of toelichting daarop verzoeken.

Het spreekt vanzelf dat het aanvullen van rechtsgronden op de voet van art. 8:69 lid 2 Awb pas aan de orde is, wanneer het beroepschrift ontvankelijk is.[104]

4.3 Het aanvullen van rechtsgronden en het aanvullen van feiten

In het civiele procesrecht geldt dat de rechter slechts rechtsgronden mag aanvullen, voor zover deze gedragen kunnen worden door de feitelijke stellingen van partijen. Alleen binnen de door partijen gestelde feiten heeft de rechter de ruimte om rechtsgronden aan te vullen.

---

101 CRvB 17 september 2003, AB Kort 2003, 648. Zie ook CRvB 22 januari 2003, JB 2003, 55 m.nt. C.L.G.F.A. (AB Kort 2003, 151) (zie over deze uitspraak ook hiervoor par. 2.8); CRvB 19 december 2002, JB 2003, 50 (AB Kort 2003, 152); ABRS 31 januari 2002, AB 2002, 276, m.nt. Sew; CRvB 17 december 1998, TAR 1999, 29. Vgl. ook ABRS 7 september 2000, AB 2000, 423 m.nt. LD; ABRS 26 juli 2001, AB 2001, 299 m.nt. Sew; HR 7 juni 2000, BNB 2000, 232. Overigens komt het een enkele keer voor dat de bestuursrechter wél rechtsgronden aanvult aan de zijde van het bestuursorgaan. De rechter overweegt dan, na eerst geoordeeld te hebben dat het bestreden besluit geen stand kan houden, welke grondslag van het besluit wél juist is. Bijv. ABRS 21 juli 2003, AB 2004, 9 m.nt. BPV; CRvB 19 april 1994, RSV 1994, 188.

102 Hier wordt ook wel anders over gedacht. Zie bijv. D. Allewijn, Beschikkingsprocesrecht, in: *Het nieuwe bestuursprocesrecht* (VAR-reeks 112), Alphen aan den Rijn 1994, p. 100-104.

103 PG Awb II, p. 463 (MvA II).

104 De stelling dat het niet tijdig indienen van de gronden van het beroep niet hoeft te leiden tot niet-ontvankelijkheid (art. 6:6 jo. 6:5 lid 1, aanhef en sub d, Awb), omdat de rechter toch ambtshalve rechtsgronden moet aanvullen, gaat dus niet op, zie CRvB 20 november 1996, AB 1997, 81 m.nt. FP.

Dit is in het civiele recht niet de enige begrenzing.[105] De rechter mag ook niet ambtshalve rechtsgronden aanvullen, wanneer het gaat om rechtsregels waarop een partij zich expliciet dient te beroepen (bijvoorbeeld een beroep op verjaring of op het gezag van gewijsde van een rechterlijke uitspraak).Voorts geeft het grievenstelsel in hoger beroep een belangrijke begrenzing aan het aanvullen van rechtsgronden: wanneer tegen een bepaalde beslissing van de rechtbank geen grief is gericht, mag de appelrechter die beslissing niet met het aanvullen van rechtsgronden zelfstandig vernietigen (behoudens strijd met de openbare orde, zoals aan de orde in hoofdstuk 5). Dit laatste wordt uitgedrukt in de regel dat de appelrechter in beginsel slechts rechtsgronden mag aanvullen binnen de rechtsstrijd van partijen.[106]

Het is de civiele rechter niet toegestaan om de feiten aan te vullen. Dit blijkt uit art. 24 Rv en volgt tevens uit art. 25 Rv (*a contrario*).[107]

Vergelijk ook art. 149 Rv (de basisregel van het civiele bewijsrecht): '*Tenzij uit de wet anders voortvloeit, mag de rechter slechts die feiten of rechten aan zijn beslissing ten grondslag leggen, die in het geding aan hem ter kennis zijn gekomen of zijn gesteld en die overeenkomstig de voorschriften van deze afdeling zijn komen vast te staan. (...)*'

Anders dan in het civiele recht geldt in het bestuursprocesrecht níet de regel dat de rechter de feiten niet mag aanvullen. Zie immers het bepaalde in art. 8:69 lid 3 Awb:

'*De rechtbank kan ambtshalve de feiten aanvullen.*'
Zie hierover nader hoofdstuk 6.

Daarmee ontbreekt in het bestuursprocesrecht de afbakening van de opdracht tot het aanvullen van rechtsgronden, zoals het civiele procesrecht die kent. Wanneer geen beperking geldt tot die rechtsgronden waarvoor een basis is te vinden in de feitelijke stellingen van partijen, is het aanvullen van rechtsgronden in het bestuursprocesrecht immers op veel ruimere schaal mogelijk.

4.4 Begrenzing aanvullen van rechtsgronden

Hoe moet het aanvullen van rechtsgronden door de bestuursrechter dan wél worden afgebakend?
Uit de wetsgeschiedenis en de systematiek van art. 8:69 Awb is af te leiden dat de rechter rechtsgronden moet aanvullen binnen de *reikwijdte* van de toetsing, zoals deze hier-

---

105 Burgerlijke Rechtsvordering (oud) (Asser), aant. 2 bij art. 48; H.J. Snijders, A. Wendels, *Civiel appel*, Deventer 2003, p. 231 e.v.
106 Burgerlijke Rechtsvordering (oud), aant. 10 bij art. 48; H.J. Snijders, A. Wendels, a.w., p. 232.
107 H.E. Ras, bewerkt door A. Hammerstein, *De grenzen van de rechtsstrijd in hoger beroep in burgerlijke zaken*, Deventer 2001, p. 46.

voor in de hoofdstukken 2 en 3 besproken werd. De verplichting tot het ambtshalve aanvullen van rechtsgronden neergelegd in lid 2 van art. 8:69 Awb, kan dus niet los worden gezien van de reikwijdte van de toetsing waarop lid 1 betrekking heeft.

> Zie de volgende passage uit de wetsgeschiedenis: *'Wij wijzen erop, dat de verplichting van de rechter om ambtshalve de rechtsgronden aan te vullen niet op gespannen voet staat met het verbod van reformatio in peius. Immers, deze verplichting* [tot het ambtshalve aanvullen van rechtsgronden – RHdB] *moet worden gelezen in samenhang met de verplichting om op de grondslag van het beroepschrift uitspraak te doen. Met andere woorden: het gaat om het aanvullen van de rechtsgronden van het beroep.'*[108]

Binnen de reikwijdte van de toetsing toetst de bestuursrechter aan alle relevante rechtsgronden. De rechter is daarbij niet gebonden aan de door belanghebbende aangevoerde argumenten.

> Zie de wetsgeschiedenis: *'De taak van de rechter kan heel kort worden samengevat in het adagium: de rechter toetst aan het recht. Toegespitst op de bestuursrechtspraak: de administratieve rechter toetst de rechtmatigheid van het bestreden bestuurshandelen. Dat de rechter aan het geschreven recht (…) en het ongeschreven recht (…) toetst, is wel evident. (…)'*[109]
> Zie ook expliciet voor de bezwaarfase: *'Die heroverweging is ook niet gebonden aan de argumenten of omstandigheden die in het bezwaarschrift aan de orde zijn gesteld.'* En: *'Tot slot merken wij op dat de bepaling overigens niet in de weg staat aan de mogelijkheid voor het bestuursorgaan om op grond van andere dan de aangevoerde bezwaren een beslissing ten voordele van de indiener te nemen.'*[110] Hierbij moet echter wel worden bedacht dat in de bezwaarfase sprake is van een volledige heroverweging van het bestreden besluit, wat niet gelijk is te stellen aan de toetsing door de *rechter*.

Dat de rechter binnen de reikwijdte van de toetsing ambtshalve rechtsgronden aanvult, betekent in de eerste plaats dat het aanvullen van rechtsgronden – uiteraard – plaatsvindt binnen de grenzen van het besluit (hoofdstuk 2).
De reikwijdte van de toetsing beperkt zich vervolgens in beginsel tot de aangevochten onderdelen van een besluit. In hoofdstuk 3 bleek echter dat dit beginsel in de rechtspraak op verschillende wijze wordt toegepast. De Centrale Raad van Beroep toetst in beginsel het gehele besluit, tenzij het beroep van een belanghebbende zich expliciet beperkt tot bepaalde onderdelen, terwijl de Afdeling bestuursrechtspraak de toetsing beperkt tot de aangevochten onderdelen van een besluit.
Het is duidelijk dat dit meebrengt dat ook op het punt van het aanvullen van rechtsgronden verschil van opvatting bestaat.[111] De Centrale Raad van Beroep zal binnen de

---

108 PG Awb II, p. 464 (MvA).
109 PG Awb II, p. 501 (MvA II).
110 PG Awb I, p. 347 (Nader rapport, resp. MvT).
111 Zie voor een overzicht van de verschillende opvattingen in de literatuur over het ambtshalve aanvullen van rechtsgronden: R.J.G.M. Widdershoven e.a., *Algemeen bestuursrecht 2001: hoger beroep*, Den Haag 2001, p. 187 e.v.

grenzen van het besluit in beginsel alle relevante rechtsgronden aanvullen. In het toetsingssysteem van de Afdeling bestuursrechtspraak past dat de rechter zich bij het aanvullen van rechtsgronden beperkt tot de aangevochten onderdelen van het besluit.

> Zie in deze zin ook Widdershoven e.a.: '*Omdat de wijze waarop het geding is afgebakend bij de diverse auteurs echter uiteenloopt (...), is er toch een verschil in de toepassing van de verplichting tot het ambtshalve aanvullen van rechtsgronden. Namelijk, naarmate het geding verder is beperkt, valt er voor de rechter minder ambtshalve aan te vullen.*'[112]

Het verschil in opvatting over de reikwijdte van de toetsing heeft dus gevolgen voor de inhoud van de toetsing. Er is een *ruime* en een *enge* opvatting over het aanvullen van rechtsgronden, zo zal hierna worden uitgewerkt.

Als uitzondering op de regel dat de rechter slechts rechtsgronden dient aan te vullen binnen de reikwijdte van de toetsing, geldt dat rechtsgronden van openbare orde *altijd* moeten worden aangevuld.

Verder moet nog worden opgemerkt dat het aanvullen van rechtsgronden niet mag leiden tot een verslechtering van de positie van belanghebbende, tenzij het gaat om de toetsing aan rechtsgronden van openbare orde.

> Vergelijk paragraaf 4.2: geen reformatio in peius.[113]

4.5 Ruime opvatting over het aanvullen van rechtsgronden

Binnen de reikwijdte van de toetsing dient de rechter alle rechtsgronden aan te vullen. Als wordt aangenomen dat de reikwijdte van de toetsing in beginsel het gehele besluit omvat, betekent dit dat de rechter daarbinnen ambtshalve alle rechtsgronden aan dient te vullen ten behoeve van belanghebbende. De rechter dient dan dus alle rechtsgronden aan te vullen die tot vernietiging van het bestreden besluit zouden kunnen leiden.[114] Het aanvullen van rechtsgronden door de rechter beperkt zich derhalve niet tot een juridische vertaling van de stellingen van belanghebbende, zoals die blijken uit het beroepschrift of ter zitting.

---

112 Zie de vorige noot.
113 Zie ook ABRS 8 juli 1999, AB 1999, 279 m.nt. JSt. Vgl. Rb Assen 24 juni 1997, JB 1997, 204 m.nt. Marc de Werd: 'Uit art. 8:69 Awb kan worden afgeleid dat het niet de taak is van de rechtbank ambtshalve een strengere maatstaf (...) aan te leggen dat tussen partijen wordt aangehouden.'
114 In deze zin o.m. F.A.M. Stroink, *Kern van de bestuursrechtspraak*, Den Haag 2000, p. 177; H.D.Van Wijk/W. Konijnenbelt & R.M.Van Male, *Hoofdstukken van bestuursrecht*, Den Haag 2002, p. 618; A.F.M. Brenninkmeijer, Appelrechtspraak in bestuursrechtelijke geschillen, in: *Met zin en verstand* (opstellen aangeboden aan A.G. van Galen), Deventer 1995, p. 11-22 ; R.H. de Bock, Hoger beroep in het bestuursrecht, herkansing, afvalrace of roulette? in: *NJB* (1999) p. 1148-1156; R. Kooper, Wie is er bang voor aanvulling van rechtsgronden? in: *NTB* (2000) p. 167-177; M.F.J.M. de Werd, Ius curia novit, in: *NJB* (1998) 687-694. Vgl. ook Rb Assen 3 juli 1998, AB 1998, 319 m.nt. HBr: '*De rechtbank is niet bekend met enig verlangen van de wetgever, noch met een wettelijke bepaling, inhoudend dat de rechtmatigheidstoetsing in bepaalde gevallen niet zou moeten geschieden of niet het hele recht zou moeten betreffen.*'

Een belanghebbende doet bij B&W een aanvraag voor een vervoersvoorziening in de vorm van een financiële tegemoetkoming. De aanvraag wordt afgewezen, omdat betrokkene met het collectief vervoer zou kunnen reizen. In het beroepschrift stelt betrokkene dat hij 'het onacceptabel vindt dat hij met het collectief vervoer moet; iedereen weet toch dat het busje altijd te laat komt en het is ook geen doen om voor elk wissewasje eerst de taxi te moeten bellen.' De reikwijdte van de toetsing wordt bepaald door het weigeringsbesluit, tegen de achtergrond van de aanvraag van belanghebbende. Daarbinnen dient de rechter ambtshalve alle toepasselijke rechtsregels toe te passen. Zo toetst de rechter ambtshalve of het besluit strookt met de plaatselijke WVG-verordening en eventuele nadere gemeentelijke beleidsregels; of in voldoende mate en op zorgvuldige wijze onderzoek is gedaan naar de vervoersbehoefte; dit alles in het licht van het fijnmazige stelsel van jurisprudentie dat de afgelopen jaren op dit gebied is ontwikkeld door de Centrale Raad van Beroep.

Zoals eerder vermeld, toetst de Centrale Raad van Beroep volgens deze ruime opvatting. Zo toetst de Centrale Raad van Beroep in arbeidsongeschiktheidskwesties in beginsel steeds aan zowel de rechtsregels die gelden voor het medische gedeelte van de motivering, als aan de regels voor het arbeidskundige gedeelte van de motivering.[115]

Dit kwam ook al aan de orde in paragraaf 3.8, bij de bespreking van de reikwijdte van de toetsing en het in dat kader door de Centrale Raad gehanteerde samenhangcriterium. Ook wordt in terugvorderingszaken ambtshalve nagegaan of sprake is van een tijdig genomen kortings- of intrekkingsbesluit.[116] Ook in andere zaken toetst de Centrale Raad doorgaans aan alle relevante rechtsgronden[117], al zijn er ook uitzonderingen.[118]

Een argument dat sterk pleit voor de ruime opvatting, is dat in het bestuursprocesrecht bewust is afgezien van verplichte procesvertegenwoordiging om de toegang tot de bestuursrechter laagdrempelig te maken.[119] Uitgangspunt is dat de burger zelf de procedure moet kunnen voeren. Om toch optimale rechtsbescherming te kunnen bieden,

---

115 CRvB 17 mei 2000, JB 2000, 190; CRvB 18 december 1998, JB 1998, 18 m.nt. R.J.N.S. (RSV 1999, 198).

116 CRvB 19 juni 2001, RSV 2001, 207 m.nt. R. Stijnen; CRvB 30 juli 1999, RSV 1999, 286. Aan de bepaling dat een herbeoordeling van de arbeidsongeschiktheid binnen het eerste jaar moet plaatsvinden, mag echter niet ambtshalve worden getoetst, zie CRvB 8 april 2003, AB Kort 2003, 344. Vgl. ook CRvB 21 februari 2001, AB 2001, 177 m.nt. HBr en CRvB 8 november 2000, USZ 2001, 19, waarin geen ambtshalve toetsing van het voorschrift dat een terugvorderingstermijn moet worden vermeld, werd geaccepteerd.

117 CRvB 22 maart 2001, TAR 2001, 72. Zie nader R.J.N. Schlössels, Hoger beroep in ambtenarenzaken, in: TAR (2001) p. 471-484, p. 477.

118 Bijv. CRvB 31 oktober 1997, AB 1998, 102 en CRvB 24 oktober 1997, AB 1998, 42 (tweemaal een WVG-zaak); CRvB 6 maart 1997, TAR 1997, 82 (ambtenarenzaak). Niet ambtshalve wordt getoetst of een hardheidsclausule van toepassing is, omdat dan de grenzen van het besluit worden overschreden. Zie in deze zin CRvB 25 februari 1999, TAR 1999, 65.

119 PG Awb II, p. 168 (Nader rapport); p. 413 (MvT).

is het van belang dat de rechter ruimhartig gebruik maakt van haar bevoegdheid om rechtsgronden aan te vullen. De rechter compenseert zo het gebrek aan juridische expertise bij belanghebbende.

> Dit is ook de gedachte geweest van de wetgever: *'De actief onderzoekende attitude van de administratieve rechter vormt voorts afdoende compensatie voor het mogelijk nadelige effect van het ontbreken van rechtsbijstand.'* [120]

Op deze wijze kan de rechter de *rechtsbeschermingsfunctie* – de primaire doelstelling van het bestuursprocesrecht[121] – waarmaken.

Een bezwaar tegen de ruime opvatting is dat het in de praktijk veel vraagt van de rechter om alle relevante rechtsgronden aan te vullen. Hierdoor kan meer tijd gemoeid zijn met een procedure.

> Hoe gespecialiseerder de rechter is, hoe makkelijker dit haar zal afgaan. Het lijkt dan ook geen toeval te zijn dat het in ruime mate aanvullen van rechtsgronden veel voorkomt bij de zeer gespecialiseerde kamers van de Centrale Raad van Beroep.

Van meer fundamentele aard is het bezwaar van sommigen dat met de ruime opvatting de handhaving van het objectieve recht weer wordt binnengehaald, terwijl de Awb daar juist afstand van heeft willen nemen.[122]

> Zie paragraaf 3.7 over de handhaving van het objectieve recht.

Om verrassingsbeslissingen te voorkomen dient de rechter, wanneer zij ambtshalve rechtsgronden aanvult die in de procedure nog geheel niet aan de orde zijn geweest, dit op de zitting bij partijen aan de orde te stellen.[123]

4.6 Uitzondering op de ruime opvatting over het ambtshalve aanvullen van rechtsgronden

Toch worden ook in de ruime opvatting over het ambtshalve aanvullen van rechtsgronden, niet *alle* relevante rechtsgronden ambtshalve aangevuld. Een onderscheid moet worden gemaakt tussen materiële en formele bepalingen.[124]

Materiële bepalingen – die betrekking hebben op de inhoud van het besluit – vult de rechter in beginsel steeds ambtshalve aan.

---

120 Zie vorige noot.
121 PG Awb II, p. 174 (MvT).
122 M. Schreuder-Vlasblom, *Rechtsbescherming en bestuurlijke voorprocedure*, Deventer 2003, p. 187.
123 ABRS 8 augustus 1996, JB 1996, 198 m.nt. MAH. ABRS 19 maart 1999, JB 1999, 133 m.nt. R.J.N.S. (AB 1999, 205 m.nt. MSV); ABRS 17 maart 1998, JB 1998, 130.
124 Vgl. D. Allewijn, Een nieuw denkmodel voor de bestuursrechter, in: *RM Themis* (1998) p. 291-298; J.B.J.M. ten Berge & R.J.G.M. Widdershoven, *Bescherming tegen de overheid*, Deventer 2001, p. 132 e.v.

Een belanghebbende stelt beroep in tegen de weigering van een bijstandsuitkering. De rechter zal toetsen of de door het bestuursorgaan toegepaste weigeringsgrond in overeenstemming is met de betreffende bepalingen uit de Bijstandswet, en daartoe zo nodig ambtshalve de relevante rechtsgronden aanvullen.

Formele bepalingen, die betrekking hebben op de wijze van totstandkoming van een besluit, worden in het algemeen niet ambtshalve aangevuld.

Te denken is bijvoorbeeld aan art. 7:2 Awb, waarin is bepaald dat het bestuursorgaan belanghebbende in de gelegenheid stelt te worden gehoord, voordat het op het bezwaar beslist. Wanneer het bestuursorgaan verzuimt te horen, maar dit gebrek wordt door de belanghebbende in de beroepsprocedure niet aan de orde gesteld, mag de rechter niet oordelen dat art. 7:2 Awb is geschonden.[125]
Dit onderwerp wordt nader behandeld in paragraaf 5.3.8, waarin meer voorbeelden worden gegeven van voorschriften waaraan niet ambtshalve mag worden getoetst.

Alleen wanneer de formele bepaling rechtsgronden van openbare orde bevat, moet de rechter die steeds ambtshalve aanvullen. Dit wordt aangeduid als het *ambtshalve toetsen* aan rechtsgronden van openbare orde, dat in hoofdstuk 5 nader aan de orde komt. Daar zal blijken dat bepalingen die – kort samengevat – betrekking hebben op de vraag of er toegang is tot de bestuursrechter, en alle bepalingen die betrekking hebben op de bevoegdheid van de rechter, van openbare orde zijn. Daaraan moet de rechter steeds ambtshalve toetsen; die rechtsgronden worden derhalve wél ambtshalve aangevuld.

4.7 Enge opvatting over het aanvullen van rechtsgronden

Wanneer uitgangspunt is dat de reikwijdte van de toetsing zich beperkt tot de aangevochten onderdelen van het besluit, vloeit daaruit voort dat het ambtshalve aanvullen van rechtsgronden zich afspeelt binnen die onderdelen van het besluit. Het aanvullen van rechtsgronden kan zich immers slechts afspelen *binnen* de reikwijdte van de toetsing.
Uit de rechtspraak van de Afdeling bestuursrechtspraak blijkt echter dat nog een beperking geldt. Volgens de Afdeling bestuursrechtspraak moet de rechter zich bij het aanvullen van rechtsgronden namelijk beperken tot de in het beroepschrift *aangevoerde argumenten.* Op die argumenten moet de rechter ambtshalve de relevante rechtsregels toepassen.[126]

---

125 Bijv. CRvB 7 februari 2001, AB 2001, 178 m.nt. HBr; CRvB 4 januari 2000, AB 2000, 146; ABRS 29 juli 1996, JB 1996, 190 m.nt. MAH.
126 Bijv. ABRS 12 november 2003, JB 2004, 15; ABRS 12 maart 2003, JB 2003, 124 m.nt. C.L.G.F.H.A. (AB Kort 2003, 254). Zie ook ABRS 24 maart 2003, AB Kort 2003, 275 (vreemdelingenrecht).

De Afdeling drukt dit ook wel zo uit: *'Ingevolge art. 8:1 lid 1 Awb, gelezen in samenhang met art. 8:69 Awb, is het de taak van de rechtbank het bestreden besluit te toetsen aan de hand van de tegen dat besluit aangevoerde beroepsgronden.'*[127]

Daarmee is de aan de rechter opgedragen taak om ambtshalve de rechtsgronden aan te vullen, verregaand beperkt. Het aanvullen van rechtsgronden beperkt zich tot het juridisch vertalen van de in het beroepschrift aangevoerde argumenten.

Belanghebbende stelt beroep in tegen de terugvordering van huursubsidie. De rechtbank constateert dat het besluit, in strijd met art. 22 Wet individuele huursubsidie (Wih), geen termijn bevat waarbinnen betaling van het verschuldigde bedrag moet hebben plaatsgevonden. Om die reden vernietigt de rechtbank het besluit. De Afdeling vernietigt de uitspraak van de rechtbank, omdat de belanghebbende in het beroepschrift bij de rechtbank op dit punt niet heeft geklaagd. De rechtbank is derhalve buiten de omvang van het geding getreden.[128]

Daarbuiten kan – in de visie van de Afdeling – alleen sprake zijn van het aanvullen van rechtsgronden, wanneer deze van openbare orde zijn. Vandaar dat de Afdeling soms overweegt dat de rechter terecht niet ambtshalve een bepaalde rechtsregel heeft toegepast, *'omdat het geen bepaling van openbare orde betrof.'*[129] Dit is echter verwarrend, omdat het suggereert dat de opdracht aan de rechter om rechtsgronden aan te vullen, neergelegd in lid 2 van art. 8:69 Awb, zich beperkt tot het ambtshalve toetsen aan rechtsgronden van openbare orde. Dit is echter geenszins het geval.

Andere uitspraken lijken iets meer ruimte te bieden: daar overweegt de Afdeling dat de rechter zich moet beperken tot argumenten ('gronden') die *verband houden met* de argumenten in het beroepschrift.[130]

Vergelijk ook Schreuder-Vlasblom: *'De rechter dient dus alle rechtsgronden in zijn oordeel te betrekken die verband houden met en soelaas zouden kunnen bieden aan de aangevoerde feitelijke bezwaren (...).'*[131]

We zien hier – vergelijk ook paragraaf 3.8 – dat de Afdeling een *grievenstelsel* hanteert: bepalend voor de inhoud van de toetsing zijn de argumenten, de grieven, die in het beroepschrift worden aangevoerd. Wanneer op een bepaald punt geen grief is aangevoerd, dient de rechter zich daarbuiten te houden.

Een bezwaar tegen het door de Afdeling gehanteerde grievenstelsel is dat daarmee van belanghebbende gevergd wordt dat hij de juiste argumenten voor zijn standpunt weet

---

127 ABRS 12 december 2002, AB Kort 2003, 628.
128 ABRS 19 maart 1999, AB 1999, 205 m.nt. MSV (JB 1999, 133 m.nt. R.J.N.S.). Idem ABRS 25 juni 2003, JB 2003, 226 (AB Kort 2003, 438).
129 Bijv. ABRS 18 november 2003, AB Kort 2003, 736.
130 ABRS 29 juli 1997, JB 1997, 217 m.nt. Marc de Werd.
131 M. Schreuder-Vlasblom, *Rechtsbescherming en bestuurlijke voorprocedure*, Deventer 2003, p. 187.

op te sporen en te verwoorden. Dat is vaak te veel gevraagd. Zo had belanghebbende in het hiervoor gegeven voorbeeld bekend moeten zijn met art. 22 Wih.

> In deze zin Stroink: *'De vraag is wat we opschieten met een grievenstelsel. Noch de rechts-beschermingfunctie, noch de toezichtfunctie is er mee gebaat. In een dergelijk systeem is (...) verplichte procesvertegenwoordiging noodzakelijk. Men kan immers van een gemiddelde burger niet verwachten dat hij trefzeker de juiste beroepsgronden aangeeft.'*[132]

Voorstanders van de enge opvatting (het grievenstelsel) wijzen erop dat daarmee recht wordt gedaan aan de partijautonomie. Volgens hen past het in de aan de Awb ten grondslag liggende gedachte van bestuursrecht als geschillenbeslechting, dat de rechter zich moet beperken tot de geschilpunten die haar worden voorgelegd. Zie hierover eerder paragraaf 3.7.

Hiermee wordt naar mijn mening voorbijgegaan aan het feit dat het in veel gevallen de belanghebbende (slechts) gaat om vernietiging van het besluit. Dát is het eigenlijke geschil dat beslecht moet worden. De reden waarom het besluit vernietigd wordt, is dan voor betrokkene van ondergeschikt belang.

> Zie wederom Stroink hierover: *'En het zal de burger ook niet veel uitmaken of het besluit op de ene of de andere grond wordt vernietigd. Wat hij beoogt is vernietiging van het bestreden (onderdeel van het) besluit. Dat is zijn vordering.'* [133]

Het is dan ook niet goed in te zien waarom de rechter binnen de reikwijdte van de toetsing zich steeds zou moeten beperken tot de in het beroepschrift aangevoerde argumenten. De wettelijke plicht van de rechter om de rechtsgronden aan te vullen, is daarmee in aanzienlijke mate uitgehold.

4.8 Uitzonderingen op de enge opvatting over het aanvullen van rechtsgronden

In bepaalde gevallen gelden uitzonderingen op de enge opvatting over het ambtshalve aanvullen van rechtsgronden. Enkele uitzonderingen hebben betrekking op bepaalde *soorten* besluiten (paragraaf 4.8.1 en 4.8.2). Verder worden bepaalde *toetsingsnormen* ambtshalve toegepast (paragraaf 4.8.3 en 4.8.4). Los hiervan geldt, zoals al eerder genoemd, dat de rechter ambtshalve toetst aan rechtsgronden van openbare orde (zie nader hoofdstuk 5).

---

132 F.A.M. Stroink in zijn noot bij JB 1997,170.
133 Zie vorige noot.

4.8.1 Ruimtelijk-ordeningsrecht

De meest opvallende uitzondering op de enge aanvulling van rechtsgronden vormt de toetsing door de Afdeling bestuursrechtspraak in het ruimtelijke-ordeningsrecht. In dit rechtsgebied is het tot dusver aan de orde van de dag dat besluiten vernietigd worden wegens strijd met rechtsregels, die niet terug te voeren zijn op de argumenten die door belanghebbende zijn aangevoerd. Hier beperkt de Afdeling zich bij het aanvullen van rechtsgronden dus níet tot het vertalen van de in het beroepschrift aangevoerde argumenten.

Velen hebben erop gewezen dat deze rechtspraak van de Afdeling bestuursrechtspraak zich niet laat rijmen met de opvatting van de Afdeling, zoals hiervoor besproken, dat het aanvullen van rechtsgronden zich dient te beperken tot het 'vertalen' van de door belanghebbende aangevoerde argumenten in de juiste juridische gronden.[134] Niet te begrijpen is waarom juist déze zaken een bijzondere benadering zouden vragen. In geen van de uitspraken van de Afdeling is hierover opheldering te vinden.

Tegen deze achtergrond is het wat merkwaardig om juist deze rechtspraak, ingezet met de zaak Schaap/Zaanstad[135], in het zonnetje te zetten.[136]

De wens om 'het systeem' kloppend te houden, heeft sommige auteurs tot de gedachte gebracht dat de Afdeling hier ambtshalve rechtsgronden van openbare orde aanvult. Om terminologische verwarring te voorkomen, is het echter beter deze aanduiding te reserveren voor de categorie rechtsregels die – kort samengevat – de toegang tot en ontvankelijkheid van het beroep regelen. Zie hierover nader hoofdstuk 5.

Zo wordt ambtshalve nagegaan of een bouwvergunning die is verleend in overeenstemming is met het bestemmingsplan[137], en of voldaan is aan de vereisten voor anticipatie op een toekomend bestemmingsplan.[138] Ook toetst de rechter ambtshalve of de planvoorschriften ruimte bieden voor het verlenen van vrijstelling[139], en of een vrijstelling past binnen het toekomstige bestemmingsplan.[140] De rechter dient ook ambtshalve te toetsen of sprake is van een vergunningplichtig (dan wel meldingsplichtig) bouwwerk.

---

134 Bijv. F.A.M. Stroink in zijn noot bij ABRS 28 januari 2000, JB 2000, 57; M. Schreuder-Vlasblom, *Rechtsbescherming en bestuurlijke voorprocedure*, Deventer 2003, p. 200.
135 ABRS 8 augustus 1996, AB 1996, 481 m.nt. PvB (JB 1996, 198 m.nt. MAH; BR 1997, p. 120).
136 Zoals bijv. in het Evaluatierapport hoger beroep gebeurd, zie R.J.G.M. Widdershoven e.a., *Algemeen bestuursrecht 2001: hoger beroep*, Den Haag 2001, p. 181. Ook de behandeling in *AB Klassiek* wekt in dit opzicht verbazing op. Zie A.F.M. Brenninkmeijer, Ambtshalve aanvulling van de rechtsgronden, in: F.H. van der Burg e.a. (red.), *AB Klassiek*, Deventer 2003, p. 382-387.
137 ABRS 8 augustus 1996, JB 1996, 198 m.nt. MAH (AB 1996, 481; BR 1997, p.120).
138 ABRS 22 mei 1997, JB 1997, 170 m.nt. F.A.M.S.
139 ABRS 8 juli 1999, AB 1999, 279 m.nt. JSt.
140 ABRS 7 maart 2000, AB 2000, 322 m.nt. JSt.

In ABRS 28 januari 2000[141] werd in hoger beroep door het bestuursorgaan aangevoerd dat de rechtbank buiten de grenzen van het haar voorgelegde geschil was getreden, door ambtshalve te toetsen of sprake was van een meldingsplichtig bouwwerk. De Afdeling was het daarmee niet eens, *'omdat het beroep van [belanghebbende] immers was gericht op vernietiging van de besluiten (...) voor het oprichten van twee abri's. De rechtbank diende op grond van artikel 8:69, tweede lid, van de Algemene wet bestuursrecht de rechtsgronden aan te vullen.'*

Een door B&W opgesteld 'algemeen en verstrekkend gedoogbeleid' werd door de Afdeling, ambtshalve toetsend, in strijd geacht met het stelsel van de WRO.[142] De Afdeling toetst ambtshalve of het bestemmingsplan op juiste wijze ter inzage is gelegd[143]; of het is vastgesteld door het daartoe bevoegde orgaan (art. 10 WRO: de gemeenteraad)[144] en of het plan is goedgekeurd door het bevoegde orgaan (art.11 WRO: gedeputeerde staten).[145] Overigens kunnen de laatstgenoemde uitspraken ook worden geplaatst in de categorie 'aanvullen van rechtsgronden van openbare orde', in verband met de vraag of het besluit bevoegd genomen is. Zie hierover nader paragraaf 5.3.2.

Het ambtshalve toetsen in ruimtelijke-ordeningszaken gaat echter niet zover dat de rechter ook ambtshalve aan de bouwverordening of het Bouwbesluit toetst.[146] Het lijkt erop dat hiervoor een pragmatische reden is: dat zou te veel studie vergen. Ook welstandsaspecten mogen niet ambtshalve worden beoordeeld.[147]

Niet duidelijk is of de tot nu toe gevolgde lijn van de Afdeling in ruimtelijke-ordeningszaken in de toekomst zal worden voortgezet. Recentelijk zijn enkele uitspraken verschenen waaruit is af te leiden dat de Afdeling zich ook in deze zaken gaat beperken tot het aanvullen van rechtsgronden, voor zover deze zijn aangevoerd in het beroepschrift of daarmee verband houden.[148] Uit deze uitspraken blijkt echter niet expliciet dat de Afdeling op dit punt haar oude jurisprudentie heeft verlaten.

In ABRS 2 april 2003[149] overwoog de Afdeling dat de rechtbank buiten de omvang van het geschil was getreden door te oordelen dat een garage met opbouw als een uitbreiding van de woning in de zin van de planvoorschriften moest worden aangemerkt, terwijl partijen er steeds vanuit waren gegaan dat sprake was een aanbouw. Kennelijk had de rechtbank zich bij dit – mogelijk onjuiste – standpunt moeten neerleggen.

141 ABRS 28 januari 2000, JB 2000, 57 m.nt. F.A.M.S. (BR 2000, p. 423). Idem ABRS 1 april 1996, BR 1996, p. 652.
142 ABRS 22 juli 1999, BR 2001, p. 124 m.nt. P.C.E. van Wijmen.
143 ABRS 21 september 2001, BR 2001, p. 42 m.nt. H.J. de Vries.
144 ABRS 21 januari 1997, AB 1997, 136 m.nt. ChB (BR 1997, p. 329).
145 ABRS 24 november 1998, BR 1999, p. 213 m.nt. H.J. de Vries.
146 ABRS 13 juli 1999, JB 1999, 200 m.nt. F.A.M.S.
147 ABRS 4 juli 2001, JB 2001, 196.
148 ABRS 1 oktober 2003, AB 2004, 50 m.nt. TN; ABRS 21 mei 2003, AB 2003, 324 m.nt. TN; ABRS 2 april 2003, JB 2003, 129 m.nt. C.L.G.F.H.A.
149 ABRS 2 april 2003, JB 2003, 129 m.nt. C.L.G.F.H.A.

Ook in het milieurecht vindt regelmatig ambtshalve aanvulling van rechtsgronden plaats.[150] Net als in het ruimtelijke-ordeningsrecht toetst de Afdeling ambtshalve of de publicatievoorschriften uit de Wet milieubeheer voor het (ontwerp)besluit in acht zijn genomen.[151] Ook toetst de Afdeling ambtshalve of een milieueffectrapportage moet worden opgesteld (vergelijk paragraaf 4.8).[152]

4.8.2 Bestraffende sancties

Wanneer een besluit een bestraffende sanctie bevat, mag de rechter niet te zuinig zijn met het aanvullen van rechtsgronden.

Bestraffende ('punitieve') sancties[153] hebben een leedtoevoegend karakter. Zij zijn te onderscheiden van herstelsancties, die strekken tot het geheel of gedeeltelijk ongedaan maken van een overtreding of de gevolgen daarvan.[154] Denk vooral aan het opleggen van een boete. In de toekomst zal de bestuurlijke boete worden geregeld in titel 5.4 van de Awb (vierde tranche Awb).

Het opleggen van een bestraffende sanctie moet namelijk worden aangemerkt als het instellen van vervolging ('criminal charge') in de zin van art. 6 EVRM. Dit heeft tot gevolg dat bij zo'n besluit rekening moet worden gehouden met de eisen van art. 6 EVRM. Zo moet de rechter ambtshalve alle *essentialia* van de procesgang te bewaken, zonodig onder het ambtshalve aanvullen van rechtsgronden.[155] Verder dient de rechter ambtshalve na te gaan of aan alle vereisten voor het opleggen van de sanctie is voldaan.

Dit betekent onder meer dat ambtshalve aan het evenredigheidsbeginsel moet worden getoetst.[156] Ook het trechtermodel (zie nader paragraaf 8.3) wordt bij bestraffende sancties waarschijnlijk niet toegepast.[157] Zie nader paragraaf 6.8.1.

---

150 Idem M.A.A. Soppe in de noot bij ABRS 20 december 1999, BR 2000, p. 335.
151 ABRS 23 december 1997, JB 1998, 33 m.nt. RJNS.
152 ABRS 27 mei 1999, M&R 2000, nr. 10; ABRS 20 december 1999, BR 2000, p. 335 m.nt. M.A.A. Soppe.
153 In navolging van N.Verheij gebruik ik de term 'bestraffende' sanctie in plaats van – het meer ingeburgerde – begrip 'punitieve sanctie'. Zie N.Verheij, Tussen toen en nu. Het relevante tijdstip voor besluitvorming in bezwaar en toetsing in beroep, in: *JB-plus* (2003) p. 26-47.
154 H.D.Van Wijk/D. Konijnenbelt & R.M.Van Male, *Hoofdstukken van bestuursrecht*, Den Haag 2002, p. 436. e.v.
155 Zie nader C.L.G.F.H.Albers en R.J.N. Schlössels, De bestuurlijke boete: een koekoeksei in het bestuursprocesrecht? in: *NTB* (2002) p. 187-198, p. 192. Idem A.J.C. de Moor-Van Vugt in haar noot bij ABRS 10 april 2002, AB 2002, 414.
156 ABRS 25 maart 1999, AB 1999, 229 m.nt BPV; ABRS 4 juni 1996, JB 1996, 172 m.nt. EvdL. Zie verder O.J.D.M.L. Jansen, Punitief en evenredig? Jurisprudentiële ontwikkelingen bij punitieve sancties en het evenredigheidsbeginsel. in: *JB-plus* (2000) p. 38-49.
157 ABRS 4 september 1997, JB 1997, 251 m.nt. R.J.G.H.S. Zie verder C.L.G.F.H. Albers, *Rechtsbescherming bij bestuurlijke boeten* (diss.), Den Haag 2002, p. 204-220.

Aan het bewijs van de feiten die aan het bestraffende sanctiebesluit ten grondslag zijn gelegd, worden strengere eisen gesteld.[158] Dit geldt ook voor de toelaatbaarheid van bewijsmiddelen.[159]

Bestraffende sanctiebesluiten nemen dus een bijzondere positie in: de rechter dient bij de toetsing daarvan in beginsel ambtshalve aan alle relevante rechtsgronden te toetsen.

4.8.3 Regels van internationaal recht

Speciale aandacht verdient de vraag of de rechter ambtshalve regels van internationaal recht dient aan te vullen. Het kan daarbij gaan om regels van communautair recht (EG-recht) of om regels van verdragsrecht (zoals het EVRM).

Voor wat betreft het EG-recht is het Kraaijeveld-arrest van het Hof van Justitie van de Europese Gemeenschappen van belang.[160] In dit arrest werd beslist dat rechters verplicht zijn om EG-recht dat rechtstreekse werking heeft, ambtshalve toe te passen voor zover in het nationale procesrecht de bevoegdheid bestaat tot ambtshalve toepassing van rechtsnormen. Uit de *bevoegdheid* in het nationale recht om ambtshalve rechtsgronden aan te vullen, volgt dus de *plicht* om rechtstreeks werkend EG-recht toe te passen.[161] Deze norm drukt het zogenoemde gelijkwaardigheidsvereiste uit: het EG-recht dient gelijkwaardig aan het nationale recht te worden toegepast.[162]

Naast het gelijkwaardigheidsbeginsel is ook het doeltreffendheidsvereiste (of het effectiviteitsbeginsel) van belang. Toepassing van dat laatste beginsel kan ertoe leiden dat in een concreet geval, ondanks het feit dat het gelijkwaardigheidsbeginsel daartoe niet dwingt, tóch ambtshalve aan het EG-recht moet worden getoetst.[163]

Uit de rechtspraak blijkt dat de Centrale Raad van Beroep slechts incidenteel ambtshalve toetst aan rechtstreeks werkende regels van EG-recht.[164] Uit de rechtspraak van de Afdeling bestuursrecht is niet duidelijk af te leiden of ambtshalve aan rechtstreeks werkende regels van EG-recht wordt getoetst.[165] Weliswaar is enkele keren overwogen dat aan dergelijke regels ambtshalve moet worden getoetst.[166] In die uitspraken was echter wél een beroep gedaan op de betreffende regels uit het EG-recht, zodat eigen-

---

158 ABRS 7 augustus 2002, AB 2003, 176 m.nt. OJ (JB 2002,279 m.nt. A.J.C.M. Geers); ABRS 2 mei 2000, AB 2000, 267 m.nt. MSV.

159 HvJEG 10 april 2003, AB 2003, 310 m.nt. AdMvV. Vgl. ook M.C.D. Embregts, *Uitsluitsel over bewijsuitsluiting* (diss.), Deventer 2003, p. 334 e.v.

160 HvJEG 24 oktober 1996, AB 1997, 133 m.nt. ChB. Vgl. eerder ook al HvJEG 14 december 1995, AB 1996, 92 m.nt. FHdB (Van Schijndel) en HvJEG 14 december 1995, *NJB*-katern, p. 40 (Peterbroeck).

161 Zie idem Ch. Backes in zijn noot bij AB 1997, 133.

162 J.H. Jans e.a., *Inleiding tot het Europees bestuursrecht*, Nijmegen 2002, p. 360 e.v.

163 Zie vorige noot, p. 361.

164 CRvB 25 februari 1998, JB 1998, 61 m.nt. AWH; CRvB 15 december 1999, RSV 2000, 77.

165 Zie nader R.J.G.M. Widdershoven, Geploeter bij de ambtshalve toepassing van EG-recht, in: TO (2003) p. 178-186.

166 ABRS 20 augustus 2003, AB 2003, 391 m.nt. RW; ABRS 19 februari 2003, AB 2003, 129 m.nt. JV. Zie hierover ook J.M. Verschuuren, Rechtstreekse werking IPPC-richtlijn en ambtshalve toetsing, in: *NTER* (2003), p. 124-126.

lijk niet gesproken kan worden van ambtshalve toetsing. Van een echte ambtshalve toetsing aan rechtstreeks werkende regels van EG-recht zijn, voor zover mij bekend, alleen voorbeelden die betrekking hebben op de vraag of een milieueffectrapportage had moeten worden opgesteld.[167] Wanneer de Afdeling – al dan niet ambtshalve – aan rechtstreeks werkende regels van EG-recht toetst, hanteert zij niet het trechtermodel. Zie daarover nader in paragraaf 8.3 en 8.3.1.

Opgemerkt zij dat het hier *niet* gaat om het ambtshalve toetsen aan rechtsnormen van openbare orde, zoals hierna aan de orde komt in hoofdstuk 5. In het algemeen geldt namelijk dat het EG-recht niet van openbare orde is; indien dat wel het geval was, had het Hof geoordeeld dat – wat er ook zij van het nationale procesrecht – de betreffende bepalingen altijd ambtshalve dienen te worden toegepast.[168] Enkele bepalingen van EG-recht blijken echter wel van openbare orde te zijn, zie hierover bij paragraaf 5.3.9. Voor het EVRM geldt dat de rechter niet verplicht is daaraan ambtshalve te toetsen.[169] Een belanghebbende moet zich beroepen op de schending van een verdragsbepaling. Dat hoeft hij niet in juridische termen te doen; voldoende is wanneer hij de schending 'in substance' aan de orde stelt.[170] In sommige uitspraken wordt een ambtshalve toetsing aan het EVRM achterwege gelaten.[171] Soms is geoordeeld dat de rechter in eerste aanleg niet ambtshalve aan het EVRM mag toetsen.[172] Er zijn echter ook uitspraken waarin de rechter wél van oordeel is dat een ambtshalve toetsing aan het EVRM tot haar taak behoort.[173] Evenzo toetst de rechter soms ambtshalve aan de Grondwet.[174]

Hoe actief de rechter zich precies dient op te stellen, hangt af van het concrete geval, zoals de zwaarte van het recht waarom het gaat en de positie van betrokkene.[175]

---

167 ABRS 13 februari 2002, M&R 2002, nr. 14; ABRS 12 mei 2000, BR 2000, p. 756; ABRS 20 december 1999, BR 2000, p. 335 m.nt. M.A.A. Soppe; ABRS 27 mei 1999, M&R 2000, nr. 10. Vgl. ook R.J.G.M. Widdershoven in zijn noot bij ABRS 20 augustus 2003, AB 2003, 391.

168 Vgl. idem R.J.G.M. Widdershoven e.a., *Algemeen bestuursrecht 2001: hoger beroep*, Den Haag 2001, p. 32; M.A.A. Soppe in zijn noot bij ABRS 20 december 1999, BR 2000, p. 335.

169 R.J.G.M. Widdershoven e.a., *Algemeen bestuursrecht 2001: hoger beroep*, Den Haag 2001, p. 34; R. Lawson, EHRM verlangt geen ambtshalve toetsing, in: *NJB* (1998) p. 1074-1075. Hetzelfde geldt ook voor bijv. het Verdrag inzake de rechten van het kind (IVRK), zie ABRS 18 november 2003, AB Kort 2003, 736.

170 Bijv. ABRS 19 november 2003, JB 2004, 15.

171 Zie hierover M.F.J.M. de Werd, Ius curia novit, in: *NJB* (1998) p. 687-694, p. 690.

172 Vz ABRS 10 februari 1997, JB 1997, 99.

173 CRvB 25 februari 1998, JB 1998, 61 m.nt. AWH. Vgl. ook CRvB 29 januari 1999, AB 1999, 200 m.nt. FP, waarin art. 6 EVRM wordt ingezet om een wettelijk appelverbod te doorbreken. Zie voorts CRvB 17 december 2002, JABW 2003, 37, waarin de Raad een boetebesluit ambtshalve toetst aan art. 15 IVBPR.

174 ABRS 6 juni 2000, AB 2000, 327 m.nt. LD.

175 H.J. Simon, Signalen uit Straatsburg, in: *Centrale Raad van Beroep 1903-2003*, Den Haag 2003, p. 367-397.

4.8.4 Toetsing rechtsgeldigheid rechtsregels

Ten slotte moet worden aangenomen dat ook in de enge leer van de Afdeling bestuurs-rechtspraak geldt dat de rechter ambtshalve nagaat of de rechtsregels op grond waarvan het besluit is genomen, rechtsgeldig zijn. Zo kan het besluit genomen zijn op grond van een verordening, die is vastgesteld door een orgaan dat daartoe niet bevoegd was.[176] Ook kan sprake zijn van inmiddels vervallen regelgeving.[177]

De rechter dient ook ambtshalve na te gaan of de aan het besluit ten grondslag liggen-de regels niet in strijd zijn met hogere regelgeving.[178]

4.9 Samenvatting

Lid 2 van art. 8:69 Awb verplicht de rechter tot het ambtshalve aanvullen van rechts-gronden. Hiermee wordt bedoeld dat de rechter zelfstandig en onafhankelijk van wat partijen daarover stellen, de juiste rechtsregels moet toepassen op het beroep. Het aan-vullen van rechtsgronden beperkt zich in beginsel tot het beroep van belanghebbende. Het aanvullen van rechtsgronden speelt zich af binnen de reikwijdte van de toetsing, zoals volgend uit lid 1 van art. 8:69 Awb en beschreven is in de hoofdstukken 2 en 3. Dit betekent in de eerste plaats dat het aanvullen van rechtsgronden plaats dient te vin-den binnen de grenzen van het besluit. Verder speelt het aanvullen van rechtsgronden zich af binnen de aangevochten onderdelen van het besluit. Zoals we zagen, geven de appelcolleges niet op dezelfde wijze invulling aan dit uitgangspunt. De Centrale Raad van Beroep toetst, door toepassing van het samenhangcriterium, in beginsel het gehele besluit, terwijl de Afdeling bestuursrechtspraak de toetsing strikt beperkt tot de aange-vochten onderdelen van het besluit. Dit verschil werkt door in de manier waarop de appelcolleges lid 2 van art. 8:69 Awb toepassen.

Bij de Centrale Raad van Beroep is sprake van een ruime opvatting, waarin binnen de grenzen van het besluit in beginsel alle relevante rechtsgronden worden aangevuld. De rechter beperkt zich bij het aanvullen van rechtsgronden niet tot het toepassen van de juiste rechtsregels op de door belanghebbende aangevoerde argumenten, maar toetst in beginsel aan alle relevante rechtsregels. Dit geldt echter niet voor formele bepalingen, die betrekking hebben op de totstandkoming van een besluit: deze vult de rechter niet ambtshalve aan, tenzij het gaat om rechtsregels van openbare orde.

---

176 Vgl. CRvB 1 juli 1997, RSV 1997, 249
177 CRvB 3 oktober 1996, TAR 1996, 203.
178 In ABRS 22 september 1997, JB 1997, 269 toetste de Afdeling beleidsregels aan de WRO. Zie echter anders ABRS 2 juli 2003, AB 2003, 459 m.nt. P. van der Ree. Zie over de rechterlijke plicht tot toet-sing aan hogere regelgeving nader M.F.J.M. de Werd, Ius curia novit, in: *NJB* (1998) p. 687-694; F.A.M. Stroink en R.J.G.M. Widdershoven, Hoger beroep in het bestuursrecht. Deel II, De rol van partijen bij de omvang van het geding en ambtshalve toetsing, in: *JB-plus* (2002) p. 29-37.

In het toetsingsmodel van de Afdeling bestuursrechtspraak dient de rechter zich bij het aanvullen van rechtsgronden in ieder geval te beperken tot de aangevochten onderdelen van het besluit. Uit de rechtspraak van de Afdeling blijkt echter dat de taak van de rechter om rechtsgronden aan te vullen, beperkter wordt opgevat. De rechter dient namelijk alleen rechtsgronden aan te vullen, voor zover deze een vertaling zijn van, of zijn te herleiden tot, de in het beroepschrift aangevoerde argumenten. Daarmee is sprake van een enge opvatting over het aanvullen van rechtsgronden, die neerkomt op een soort grievenstelsel: de rechter beoordeelt alleen de in het beroepschrift aangevoerde argumenten. Van een dergelijk grievenstelsel is bij de Centrale Raad van Beroep geen sprake.

In de jurisprudentie van de Afdeling bestuursrechtspraak is op enkele punten sprake van een uitzondering op de enge opvatting over het aanvullen van rechtsgronden. Zo worden – tot nu toe – in het ruimtelijke-ordeningsrecht rechtsgronden aangevuld, die niet te herleiden zijn tot de in het beroepschrift aangevoerde argumenten. Verder wordt meer aan het aanvullen van rechtsgronden gedaan indien sprake is van een bestraffend sanctiebesluit. Ten slotte worden soms ambtshalve regels van internationaal recht bijgebracht en toetst de rechter ook eigener beweging of de regels waarop het besluit berust, geldig zijn.

HOOFDSTUK 5

Inhoud van de toetsing: ambtshalve toetsing aan rechtsgronden van openbare orde

5.1 Inleiding

Op de regel dat de rechter alleen rechtsgronden moet aanvullen binnen de reikwijdte van de toetsing, is een uitzondering. Rechtsgronden die van openbare orde zijn, moeten namelijk *altijd* worden aangevuld. Zo moet de rechter toetsen of een belanghebbende binnen de wettelijke termijnen bezwaar en beroep heeft ingesteld, ook wanneer door het bestuursorgaan niet is aangevoerd dat de termijnen zijn overschreden.

De vraag is wat precies moet worden verstaan onder rechtsgronden van openbare orde. Zoals hierna zal blijken, is een eenduidige definitie niet te geven.

Aan de hand van de rechtspraak zal een overzicht worden gegeven van de verschillende rechtsgronden van openbare orde.

5.2 Omschrijving rechtsgronden van openbare orde

Doorgaans wordt de volgende omschrijving gegeven van rechtsgronden van openbare orde: rechtsregels die niet ter vrije beschikking van partijen staan.

> Zie de volgende passage uit de wetsgeschiedenis: *'De toepassing van de regels inzake bevoegdheid en ontvankelijkheid is van openbare orde en staat daarmee niet ter vrije beschikking van partijen.'*[179]
> Zie in dezelfde zin de bestuursrechtelijke[180] en de civielrechtelijke literatuur.[181]

Deze definitie is echter niet precies genoeg, omdat alle rechtsregels van dwingend recht dan zouden moeten worden aangemerkt als rechtsgronden van openbare orde. Voor al het dwingend recht geldt immers dat het niet 'ter vrije beschikking van partijen staat'. In het bestuursrecht zou dit het overgrote deel van het materiële recht en zo ongeveer de gehele Awb zijn; al deze regels zijn van dwingend recht. Uit de rechtspraak blijkt echter duidelijk dat niet alle regels van dwingend recht rechtsgronden van openbare orde zijn.

---

179 PG Awb II, p. 464 (MvA II).
180 Bijv. L.J.A. Damen e.a., *Bestuursrecht 2, Rechtsbescherming*, Den Haag 2002, p. 185; M. Schreuder-Vlasblom, *Rechtsbescherming en bestuurlijke voorprocedure*, Deventer 2003, p. 197; H.D. van Wijk/W. Konijnenbelt & R.M. van Male, *Hoofdstukken bestuursrecht*, Den Haag 2002, p. 616.
181 H.J. Snijders, A. Wendels, *Civiel appel*, Deventer 2003, p. 234; H.E. Ras, bewerkt door A. Hammerstein, *De grenzen van de rechtsstrijd in hoger beroep in burgerlijke zaken*, Deventer 2001, p. 53 e.v.; J.J. Vriesendorp, *Ambtshalve aanvullen van rechtsgronden*, Zwolle 1981, p. 60; D.J. Veegens, bewerkt door E. Korthals Altes en H.A. Groen, *Cassatie in burgerlijke zaken*, Zwolle 1989, p. 246.

Zie bijvoorbeeld de Centrale Raad van Beroep over een door de rechtbank ambtshalve uitgevoerde toets aan art. 7:2 Awb (hoorplicht in bezwaar) – op zichzelf een regel van dwingend recht –: *'Voor de door de rechtbank ambtshalve verrichte toetsing zou alleen dan plaats zijn geweest indien het wettelijk voorschrift in kwestie zou kunnen worden aangemerkt als te zijn van openbare orde.'*
Zie evenzo de rechtspraak van de civiele rechter over art. 25 Rv (art. 48 Rv (oud)).[182]

De vraag is dan welke regels van zó dwingend recht zijn, als het ware van superdwingend recht[183], dat zij van openbare orde zijn. Hierop blijven rechtspraak en literatuur het antwoord schuldig. Een duidelijke definitie van 'rechtsgronden van openbare orde' ontbreekt dus.

Dat wil niet zeggen dat er geen pogingen zijn ondernomen om tot een sluitende definitie te komen. Zo is uit ABRS 19 maart 1999, JB 1999, 133 m.nt. R.J.N.S. (AB 1999, 205 m.nt. MSV) de volgende omschrijving te destilleren: regels zijn van openbare orde, wanneer zij níet uitsluitend strekken ter bescherming van de belangen van betrokkene. Zie echter de kritische noten.
Schreuder-Vlasblom schrijft dat het gaat *'om voor de rechtsorde essentiële rechtsregels, zoals (…)* [volgt een opsomming van verschillende rechtsgronden van openbare orde], *en normen die raken aan de integriteit van het openbare bestuur.'*[184]

In de literatuur wordt – juist omdat een helder criterium ontbreekt – ook wel verdedigd dat het hele onderscheid tussen 'gewone rechtsregels' en 'rechtsregels van openbare orde', onjuist is.[185] Hierbij moet worden bedacht dat vóór de inwerkingtreding van de Awb geen expliciet onderscheid werd gemaakt tussen 'ambtshalve aanvullen van rechtsregels' en 'ambtshalve toetsen aan rechtsgronden van openbare orde'.[186] Maar omdat in de rechtspraak dit onderscheid nu wel wordt gehanteerd, is het toch zinvol hierop nader in te gaan.[187] Een duidelijk criterium is echter niet te geven.

Snijders/Wendels komt tot de volgende conclusie: *'Wie na dit alles meent dat de figuur van de openbare orde toch iets mysterieus blijft houden (…) heeft noodzakelijkerwijs het volste recht van de wereld en dat is op zich zelf toch enigszins verhelderend.'*[188]

---

182 Burgerlijke Rechtsvordering (oud) (W.D.H. Asser), aant. 9 bij art. 48.

183 H.J. Snijders, A. Wendels, *Civiel appel*, Deventer 2003, p. 234.

184 M.S. Schreuder-Vlasblom in haar noot bij ABRS 19 maart 1999, AB 1999, 205.

185 F.A.M. Stroink, *Kern van de bestuursrechtspraak*, Den Haag 2000, p. 177; R. Kooper, Ambtshalve toetsing en aanvulling van rechtsgronden, in: *JB-plus* (2002) p. 84-89, p. 88. Vgl. ook R. Kooper, Wie is er bang voor aanvulling van rechtsgronden? in: *NTB* (2000) p. 167-177.

186 F.A.M. Stroink en R.J.G.M. Widdershoven, Hoger beroep in het bestuursrecht. Deel II, De rol van partijen bij de omvang van het geding en ambtshalve toetsing, in: *JB-plus* (2002) p. 29-37.

187 Vgl. idem de reactie van Stroink en Widdershoven op het eerder genoemde artikel van Kooper, in: *JB-plus* (2002) p. 84-89.

188 H.J. Snijders, A. Wendels, *Civiel appel*, Deventer 2003, p. 234-235.

Een rechtsregel mag niet snel als een rechtsgrond van openbare orde worden gekwalificeerd. De rechter dient zich hier terughoudend op te stellen. Uit de rechtspraak blijkt dat met name díe regels van openbare orde zijn, die betrekking hebben op de vraag of er *toegang* is tot de bestuursrechter. Hierbij is in de eerste plaats te denken aan de regels die de Awb geeft om de *competentie* van de bestuursrechter af te bakenen (is er sprake van een besluit, afkomstig van een bestuursorgaan, waartegen beroep kan worden ingesteld). Verder zijn van openbare orde de regels die bepalen of in een concreet geval de bestuursrechter *bevoegd* is (is de partij die beroep instelt belanghebbende en zijn alle termijnen in acht genomen).

> Uit de wetsgeschiedenis blijkt dat ook de Awb-wetgever bij regels van openbare orde heeft gedacht aan regels die de bevoegdheid en ontvankelijkheid regelen: *'De toepassing van de regels inzake bevoegdheid en ontvankelijkheid is van openbare orde en staat daarmee niet ter vrije beschikking van partijen. Zo zal de rechter – en dat komt in de praktijk met enige regelmaat voor – zich inderdaad niet conformeren aan bijvoorbeeld een onjuiste uitleg van het besluitbegrip of een ten onrechte verschoonbaar geoordeelde termijnoverschrijding. Dat geldt ook in die – eveneens in de praktijk voorkomende – gevallen waarin partijen zijn overeengekomen geen beroep te doen op onbevoegdheid of niet-ontvankelijkheid.'* [189]

Wanneer de rechter constateert dat sprake is van strijd met een regel van openbare orde, dient zij daaraan consequenties te verbinden. Het besluit dient dan vernietigd te worden. Art. 6:22 Awb – dat het mogelijk maakt dat een besluit in stand wordt gelaten wanneer sprake is van de schending van een vormvoorschrift waardoor de belanghebbende niet is benadeeld – kan dus niet worden toegepast. In een enkel geval wordt wel toepassing gegeven aan art. 8:72 lid 3 Awb: het in stand laten van de rechtsgevolgen van een besluit (zie nader paragraaf 5.3.4).
Voordat de rechter ambtshalve rechtsgronden van openbare orde aanvult, dient zij dit eerst bij partijen aan de orde te stellen. Het is in strijd met een goede procesorde, wanneer de rechter 'rauwelijks' vernietigt.[190]
Het ambtshalve toetsen aan rechtsgronden van openbare orde werkt in de meeste gevallen ten nadele van de belanghebbende. Vaak gaat het namelijk om rechtsregels die de rechtsbescherming van een belanghebbende op enige wijze beperken. De belanghebbende komt daardoor in een slechtere positie dan waarin hij verkeerde vóór het instellen van beroep. Het verbod van *reformatio in peius* wordt hier dus doorbroken.

Iemand vraagt een bijstandsuitkering aan. Deze wordt hem aanvankelijk geweigerd. Belanghebbende stelt ruimschoots ná de zes-wekentermijn bezwaar in tegen dit besluit. Het bestuursorgaan neemt het bezwaar echter toch in behandeling en geeft

---

189 PG Awb II, p. 464 (MvA II).
190 CRvB 16 december 1999, AB 2000, 133 m.nt. HH; CRvB 15 december 1999, RSV 2000, 77; CRvB 2 december 1999, TAR 2000, 23; ABRS 8 augustus 1997, BR 1997, p. 120 m.nt. F.A.M.S. Een zelfde regel wordt in het civiele procesrecht aangenomen, zie Losbladige Rv (oud) (W.D.H. Asser), aant. 4 bij art. 48.

belanghebbende gedeeltelijk gelijk. Betrokkene wil echter op alle punten gelijk en hij stelt beroep in bij de rechtbank. De rechtbank oordeelt ambtshalve dat het bestuursorgaan ten onrechte belanghebbende ontvankelijk heeft verklaard in zijn bezwaar. De rechtbank vernietigt het besluit op bezwaar, waardoor het primaire besluit – een algehele weigering – herleeft.

Hierbij is nog op te merken dat het ambtshalve toetsen aan rechtsgronden van openbare orde in hoger beroep ook plaatsvindt wanneer niet een belanghebbende, maar het bestuursorgaan hoger beroep heeft ingesteld. Dat kan ertoe leiden dat een voor de belanghebbende gunstige uitspraak van de rechtbank door de appelrechter wordt vernietigd, omdat het oorspronkelijke bezwaarschrift niet-ontvankelijk had moeten worden verklaard.[191]

5.3 Casuïstiek rechtsregels van openbare orde

In deze paragraaf zullen verschillende rechtsregels die van openbare orde zijn de revue passeren.

5.3.1 Besluit en bekendmaking besluit

De rechter toetst ambtshalve of sprake is van een besluit in de zin van art. 1:3 van de Awb.[192] Alle elementen van het besluitbegrip zijn derhalve van openbare orde. Ook voorschriften die regelen hoe een besluit bekend moet worden gemaakt, zijn van openbare orde. Bijvoorbeeld de regels over het ter inzage leggen, aanplakken of publiceren van (ontwerp-)besluiten, zoals geregeld in de Wet Milieubeheer[193], de Wet op de Ruimtelijke Ordening[194] en de afdelingen 3.4 en 3.5 uit de Awb.

> Door sommigen wordt aangenomen dat het hier gaat om het ambtshalve aanvullen van rechtsgronden, in plaats van het ambtshalve toetsen aan rechtsregels van openbare orde. Gelet op de aard van de betrokken rechtsregels en het rechtstreekse verband van die regels met de *toegang* tot de procedure, moet naar mijn mening worden aangenomen dat het om rechtsregels van openbare orde gaat. De Afdeling spreekt in dit verband over *'minimale waarborgen voor rechtzoekenden'*.[195]

191 CRvB 30 maart 2000, TAR 2000, 65; CRvB 21 oktober 1999, TAR 1999, 159.
192 ABRS 14 januari 2004, AB Kort 2004, 96; ABRS 15 januari 2003, JB 2003, 47; ABRS 16 januari 2002, JB 2002, 68; ABRS 7 november 2001, JB 2001, 322; CRvB 19 december 2000, JB 2001, 39; CRvB 12 mei 2000, JB 2000, 180; ABRS 25 november 1999, BR 2000, p. 118; CBB 12 januari 1999, JB 1999, 75; ABRS 13 augustus 1998, JB 1998, 204; CRvB 30 december 1997, RSV 1998, 234; ABRS 21 juli 1997, JB 1997, 214 m.nt. R.J.G.H.S.; ABRS 24 maart 1997, AB 1997, 201 m.nt. FM; ABRS 29 juli 1996, AB 1996, 416 m.nt. FM.
193 ABRS 23 december 1997, JB 1998, 33 m.nt. R.J.G.H.S.
194 ABRS 21 september 2000, BR 2001, p. 142 m.nt. J.J.M.M. van Rijckevorsel; ABRS 17 augustus 1999, BR 1999, p. 950 m.nt. J. de Vries; ABRS 8 april 1999, BR 1999, p. 675 m.nt. H.J. de Vries; ABRS 25 januari 1999, BR 1999, p. 305 m.nt. H.J. de Vries.
195 ABRS 25 januari 1999, BR 1999, p. 305 m.nt. H.J. de Vries.

Niet alle bepalingen die betrekking hebben op de wijze van totstandkoming van een besluit, zijn echter van openbare orde. Zo zijn niet van openbare orde de artikelen 4:7 en 4:8 Awb, waarin is neergelegd dat in bepaalde gevallen het bestuursorgaan een belanghebbende moet horen alvorens een beschikking te nemen.[196]
Evenmin van openbare orde is art. 3:45 lid 1 Awb, waarin is voorgeschreven dat onder een besluit moet worden vermeld welk rechtsmiddel daartegen kan worden aangewend.[197] Dit is moeilijk te rijmen met de eerder genoemde rechtspraak. Ook hier gaat het immers om een voorschrift dat de toegang tot de bestuursrechtelijke procedure raakt, en dat een minimale waarborg voor rechtzoekenden bevat.
Ten slotte is evenmin van openbare orde art. 3:47 Awb (art. 4:17 (oud)), dat bepaalt dat de motivering van een besluit vermeld moet worden bij de bekendmaking van dat besluit.[198] Dat wil natuurlijk niet zeggen dat de rechter niet zou mogen toetsen of het besluit een draagkrachtige motivering heeft.[199]

5.3.2 Bevoegd genomen besluit

De rechter toetst ambtshalve of sprake is van een bevoegd genomen besluit.[200] Het besluit kan onbevoegd genomen zijn omdat een geldig mandaat- of delegatiebesluit ontbreekt. Ook als er wel een geldig mandaatbesluit is, kan het besluit onbevoegd zijn genomen indien de betreffende ambtenaar ook al krachtens mandaat het primaire besluit had genomen (art. 10 lid 3 Awb).[201] Verder is het niet toegestaan wanneer de heroverweging in bezwaar aan een ambtenaar wordt overgelaten; ook dit wordt ambtshalve getoetst.[202]

Een volgende vraag is of de bestuursrechter met toepassing van art. 8:72 lid 3 Awb de rechtsgevolgen van het onbevoegd genomen besluit in stand mag laten. Daarmee wordt het bevoegdheidsgebrek 'gedekt'. In beginsel is dit niet mogelijk. Op dit beginsel worden echter uitzonderingen toegelaten.[203]
Toepassing van art. 6:22 Awb (passeren van de schending van vormvoorschriften) is echter niet toegestaan.[204]

---

196 Schending van deze bepaling kan dan ook worden geheeld met toepassing van art. 6:22 Awb: ABRS 20 november 2002, JB 2003, 17. Zie nader hierover F.M.D. Aardema, De hoorplicht van de artikelen 4:7 en 4:8 Awb: een wettelijke inkleuring van de zorgvuldigheidsnorm in fletse tinten? in: JB-plus (2003) p. 50-59.
197 ABRS 17 september 2003, AB 2004, 7 m.nt. TN; ABRS 8 mei 2001, AB 2001, 291 m.nt. LD; CRvB 29 februari 2000, AB 2000, 443 m.nt. HBr. Uit deze rechtspraak blijkt dat in zo'n geval zelfs geen sprake is van een verschoonbare termijnoverschrijding.
198 CRvB 8 april 2003, AB Kort 2003, 344; CRvB 1 oktober 2002, RSV 2002, 312; CRvB 8 juli 1997, JB 1997, 179 m.nt. R.J.G.H.S.; CRvB 12 november 1997, AB 1998, 44; vgl. CRvB 27 juni 1997, JB 1997, 177 m.nt. R.J.G.H.S.
199 CRvB 17 mei 2000, JB 2000, 190.
200 CBB 24 september 2002, JB 2002, 375; CRvB 15 januari 2001, JB 2001, 66; CRvB 13 april 2000, AB 2000, 277 m.nt. HH; ABRS 23 september 1999, AB 1999, 450 m.nt. AvH; ABRS 24 november 1998, BR 1999, p. 213; ABRS 15 januari 1998, AB 1998, 188; ABRS 6 januari 1997, JB 1997, 25 (AB 1997, 86); CRvB 25 maart 1997, JB 1997, 91 m.nt. JMED; ABRS 23 augustus 1994, BR 1995, p. 60.
201 CBB 31 januari 2001, JB 2001, 100 m.nt. ARN.
202 ABRS 15 januari 2001, JB 2001, 66.
203 Zie hierover meer uitvoerig de noot van ARN bij Rb Dordrecht 12 mei 1999, JB 1999, 180; noot JMED bij CRvB 25 maart 1997, JB 1997, 91.
204 CRvB 24 augustus 2000, AB 2000, 420 m.nt. HH; ABRS 2 april 1998, JB 1998, 143; ABRS 23 oktober 1997, AB 1998, 386 m.nt. MSV (JB 1998, 5 m.nt. MAH).

Ook kan zich de situatie voordoen dat een bestuursorgaan niet de bevoegdheid heeft om een bepaald besluit te nemen.[205]

5.3.3 Belanghebbende

De rechter toetst ambtshalve of degene die (hoger) beroep instelt, als een belanghebbende in de zin van art. 1:2 Awb kan worden aangemerkt.[206] Ook wanneer de rechtbank betrokkene reeds als belanghebbende heeft aangemerkt, en het bestuursorgaan tegen die beslissing geen hoger beroep heeft ingesteld, toetst de appelrechter zelfstandig of inderdaad sprake is van een belanghebbende.[207]

5.3.4 Bevoegdheid rechtbank

De rechter dient ambtshalve te toetsen of zij bevoegd is tot kennisname van het beroep. Zo kan sprake zijn van onbevoegdheid omdat een ander rechtscollege bevoegd is.[208] Ambtshalve wordt getoetst aan de artikelen 8:1 en 8:2 Awb[209], die nadere regels bevatten over de gevallen waarin beroep bij de rechtbank kan worden ingesteld.

Ook de in art. 7:1 Awb neergelegde regel dat in beginsel eerst bezwaar moet worden ingesteld voordat beroep bij de rechtbank mogelijk is – dan wel, of belanghebbende redelijkerwijs kan worden verweten dat hij dit niet heeft gedaan (art. 6:13 Awb)[210] –, is van openbare orde.[211] Dit geldt ook wanneer partijen samen hebben afgesproken om de bezwaarfase over te slaan en rechtstreeks beroep bij de rechtbank in te stellen.[212] Ambtshalve toetsing aan art. 7:1 Awb kan leiden tot de conclusie dat betrokkene ten onrechte ontvangen is in zijn bezwaar.[213] Dat ambtshalve moet worden nagegaan of de rechter bevoegd is tot kennisname van het beroep, brengt met zich mee dat ambtshalve wordt getoetst of sprake is van een doorzendplicht (art. 6:15 Awb).[214] Wanneer blijkt dat de rechtbank zich ten onrechte bevoegd heeft geacht, wordt de uitspraak door de appelrechter vernietigd.

Verder toetst de rechter ambtshalve of degene die beroep instelt tegen een bestemmingsplan, eerst een zienswijze heeft ingediend bij de gemeenteraad tegen het ontwerpplan, of bedenkingen heeft ingediend bij gedeputeerde staten, zoals voorgeschreven is in de WRO. Bij het niet correct naleven van de toepasselijke bepalingen volgt alsnog een niet-ontvankelijkverklaring.[215] Ook wanneer wel bedenkingen zijn ingediend,

---

205 ABRS 14 mei 2003, AB 2003, 212 m.nt. FM; CRvB 15 maart 2001, AB 2001, 204 m.nt. HH; CRvB 13 april 2000, AB 2000, 277 m.nt. HH; ABRS 16 maart 2000, JB 2000, 134.

206 ABRS 21 mei 2003, AB 2003, 273 m.nt. MPJ; CRvB 21 oktober 1999, AB 2000, 42 m.nt. HH; ABRS 23 april 1999, JB 1999, 189 m.nt. MSV.

207 CRvB 6 november 2002, JB 2003, 5 m.nt. R.J.N.S.

208 ABRS 17 maart 1997, AB 1998, 18 m.nt. NV.

209 CRvB 23 mei 2002, JB 2002, 193.

210 ABRS 22 april 1996, AB 1997, 39 m.nt. NV.

211 ABRS 28 januari 2000, JB 2000, 71; ABRS 24 maart 1997, AB 1997, 201 m.nt. FM.

212 ABRS 15 januari 2003, JB 2003, 48.

213 CRvB 27 december 2001, JB 2002, 52 m.nt. E. de Lange-Bekker; CBB 19 juli 2001, JB 2001, 237.

214 ABRS 28 januari 2000, JB 2000, 71; CRvB 21 januari 1999, AB 1999, 199 m.nt. HH.

215 ABRS 24 november 1998, BR 1999, p. 213 m.nt. H.J. de Vries.

maar deze niet binnen de wettelijke termijn zijn gemotiveerd, acht de rechter het beroep ambtshalve niet-ontvankelijk.[216]

5.3.5 Bezwaar- en beroepstermijnen

Eveneens van openbare orde zijn de in de Awb neergelegde termijnen voor het instellen van bezwaar, beroep en hoger beroep (art. 6:7 Awb). De rechter moet ambtshalve nagaan of deze termijnen in acht zijn genomen.[217]

Daarbij moet de rechter ook ambtshalve bij haar beoordeling betrekken of sprake is geweest van een verschoonbare termijnoverschrijding, zodat redelijkerwijs niet kan worden geoordeeld dat de indiener van het bezwaar in verzuim is geweest (art 6:11 Awb).[218] Derhalve dient de rechter ook wanneer van toepassing van die regel uit het bestreden besluit niets blijkt, na te gaan of toepassing van art. 6:11 Awb aan de orde is. Ook in gevallen dat het bestuursorgaan zelf toepassing heeft gegeven aan art. 6:11 Awb, toetst de rechter of dit terecht is geweest. Art. 6:11 Awb is dus ook van openbare orde. Hieruit vloeit tevens voort dat de rechter zelf initiatief moet nemen om de insteller van het bezwaar- of beroepschrift de gelegenheid te geven feiten en omstandigheden aan te voeren die hebben geleid tot de te late indiening.[219]

Ook andere voorschriften die de ontvankelijkheid van het bezwaar en (hoger) beroep regelen, zijn van openbare orde. Zo toetst de rechter ambtshalve of het beroepschrift voldoet aan de wettelijke eisen (art. 6:5 Awb).[220]

Als slechts 'pro forma' een beroepschrift is ingediend, toetst de rechter ambtshalve of de gronden van het (hoger) beroep binnen de door de rechter bepaalde termijn zijn ingediend. Zo niet, dan volgt niet-ontvankelijkheid (art. 6:6 Awb).[221] Evenzo gaat de Afdeling ambtshalve na of de in bijzondere wetten – zoals de Wet op de ruimtelijke ordening en de Wet milieubeheer – gestelde termijnen zijn nageleefd.[222]

5.3.6 Procesbelang

In het verlengde van de ambtshalve toetsing van de vraag of degene die (hoger) beroep instelt, belanghebbende is, toetst de bestuursrechter ambtshalve of die partij *belang* heeft bij een beoordeling van zijn beroep.[223] Als een ongeschreven regel van procesrecht geldt namelijk: geen belang, geen actie. Uit deze regel volgt dat er altijd een feitelijk

---

216 ABRS 27 februari 1998, BR 1998, p. 507 m.nt. H.J.B. Aarts.

217 ABRS 27 november 2002, AB 2003, 146 m.nt. AMLJ; ABRS 19 maart 1999, AB 1999, 205 m.nt. MSV; CRvB 4 maart 1997, AB 1997, 268 m.nt. FP (RSV 1997, 212); CRvB 19 november 1996, JB 1997,11 m.nt. MAH; CRvB 16 oktober 1996, JB 1996, 261.

218 ABRS 27 november 2002, AB 2003, 146 m.nt. AMLJ; CRvB 4 januari 2001, JB 2001, 54 m.nt. R.J.N.S.; CRvB 30 juli 1998, JB 1998, 210.

219 ABRS 14 april 2000, JB 2000, 159.

220 ABRS 21 november 2001, JB 2002, 5 m.nt. R.J.N.S.

221 ABRS 30 mei 1995, AB 1995, 418 m.nt. AvH.

222 ABRS 27 februari 1998, BR 1998, p. 507; ABRS 9 september 1997, AB 1997, 421 m.nt. PvB (BR 1998, p. 46).

223 ABRS 12 februari 2003, AB 2003, 183 m.nt. AvH; ABRS 6 november 2002, JB 2003, 7.

belang, een concreet voordeel, moet zijn voor degene die (hoger) beroep instelt bij het rechterlijk oordeel. Een principieel belang is onvoldoende.[224]

In het fiscale recht geldt dat er een *fiscaal* belang – dat is een financieel belang – moet bestaan bij het beroep.[225]

Het belang in hoger beroep hoeft niet noodzakelijk te bestaan uit een gunstiger dictum; het kan ook bestaan uit een gunstiger *motivering* van de uitspraak.[226] Deze situatie doet zich voor wanneer de rechtbank op een bepaalde grond een belanghebbende in het gelijk heeft gesteld, maar andere argumenten onbesproken heeft gelaten, terwijl honorering van die argumenten tot een voor de belanghebbende gunstiger beslissing kan leiden.

Een belanghebbende stelt beroep in tegen de verlening van een bouwvergunning – met toepassing van art. 19 WRO (oud) – voor het verbouwen van een kantoor tot sociëteit. De rechtbank vernietigt het besluit, omdat onvoldoende is gewaarborgd dat de sociëteit niet onaanvaardbare overlast voor omwonenden zal veroorzaken. De belanghebbende stelt hoger beroep in. Hij heeft daarbij belang en wordt derhalve ontvankelijk geacht, omdat de vernietiging door de rechtbank er slechts toe leidt dat het bestuursorgaan een nieuw besluit op bezwaar moet nemen, waarbij niet is uit te sluiten dat de bouwvergunning wordt gehandhaafd. Indien de appelrechter het argument van de belanghebbende zou honoreren dat geen wettelijke basis voor toepassing van art. 19 WRO bestaat, zou de vergunning echter geheel van de baan zijn.[227]

Een belanghebbende heeft ook belang bij het hoger beroep wanneer de rechtbank het beroep op enkele onderdelen gegrond heeft geacht – en op grond daarvan de vernietiging van het besluit heeft uitgesproken –, maar op andere onderdelen het beroep ongegrond heeft geacht.[228]

Dit is zeker het geval, nu op grond van recente rechtspraak geldt dat het *niet* instellen van hoger beroep tegen een eerdere uitspraak van de rechtbank, waarbij beroepsgronden uitdrukkelijk en zonder voorbehoud zijn verworpen, tot gevolg heeft dat de rechtbank in het beroep tegen de nieuwe beslissing op bezwaar heeft uit te gaan van de juistheid van het oordeel over die beroepsgronden.[229] Zie hierover nader paragraaf 9.11.

---

224   ABRS 19 februari 2003, JB 2003, 81; ABRS 13 februari 1997, AB 1997, 148 m.nt. AvH; ABRS 23 maart 1995, AB 1996, 262 m.nt. PvB; CRvB 21 oktober 1993, TAR 1993, 253.
225   Zie voor nadere verwijzingen E.B. Pechler, *Belastingprocesrecht*, Deventer 2003, p. 109.
226   ABRS 12 oktober 1998, JB 1999, 4. Zie over deze uitspraak nader: E.J. Daalder en P.J. de Vries, Processueel belang in hoger beroep met het oog op de toekomst, in: *JB-plus* (1999) p. 53-61.
227   ABRS 23 maart 1995, AB 1996, 262 m.nt. PvB.
228   ABRS 26 april 2001, AB 2001, 381 m.nt. NV.
229   ABRS 5 augustus 2003, AB 2003, 355 m.nt. RW en P.A. Willemsen.

Volgens vaste rechtspraak vormt het kunnen verkrijgen van een proceskostenveroorde-ling, anders dan in het civiele procesrecht, onvoldoende procesbelang voor het instellen van hoger beroep.[230] Deze rechtspraak moet worden gezien als een gevolg van het feit dat art. 8:75 Awb voor een veroordeling in de proceskosten niet als eis stelt dat het beroep gegrond wordt verklaard.[231] Ook de wens om vergoeding te krijgen van kos-ten die gemaakt zijn in de bezwaarfase vormt in beginsel onvoldoende belang, kenne-lijk omdat deze in de regel voor rekening van belanghebbende dienen te blijven.[232] Een schadevordering vormt wel voldoende belang voor een beoordeling van het besluit, ook als dit inmiddels is ingetrokken.[233]

5.3.7 Voorschriften procedure in beroep

De voorschriften die de beroepsprocedure regelen, zijn van openbare orde. Uit de juris-prudentie blijkt dat de appelrechter strikt toezicht houdt op de naleving van die regels door de rechtbank. De voorschriften gelden trouwens ook voor de procedure in hoger beroep.

Zo wordt ambtshalve getoetst aan de toepassing van art. 8:29 Awb, waarin de geheim-houding van stukken is geregeld.[234]

Uitnodigingen voor de zitting moeten altijd per aangetekende brief worden verzonden (art. 8:37 Awb).[235] Wanneer een per aangetekende brief verzonden stuk door de recht-bank retour wordt ontvangen, moet bij de gemeentelijke basisadministratie het adres van betrokkene worden geverifieerd en dient het stuk opnieuw te worden verzonden (art. 8:38 Awb).[236]

Wanneer de rechtbank een partij oproept om op een comparitie te worden gehoord, dient ook de niet-opgeroepen partij in de gelegenheid te worden gesteld om het horen bij te wonen (art. 8:44 lid 1 Awb).[237] Strak wordt ook de hand gehouden aan het voor-schrift dat alleen als beide partijen daartoe toestemming hebben gegeven, de behande-ling ter zitting achterwege kan blijven (art. 8:57 of art. 8:64 lid 5 Awb).[238]

Wanneer gehandeld is in strijd met een van de genoemde bepalingen, leidt dit tot ver-nietiging van de uitspraak van de rechtbank. Soms wordt de zaak terug verwezen naar de rechtbank; soms doet de appelrechter de zaak zelf af. Zie hierover nader paragraaf 9.7. Ambtshalve ziet de appelrechter erop toe of de uitspraak is ondertekend door de rechter en de griffier (art. 8:77 lid 3 Awb) en of de datum van uitspraak (art. 8:77 lid 1, sub e) en verzending is vermeld (art. 8:79 lid 1 Awb).[239] Evenzo wordt er ambtshalve op

---

230 ABRS 12 februari 2003, AB 2003, 213 m.nt. CMB; ABRS 18 september 2002, AB 2002, 41 m.nt. CMB; CRvB 27 mei 1997, AB 1997, 379; CRvB 4 februari 1997, JB 1997, 52; AB 23 januari 1997, JB 1997, 46.
231 CRvB 27 mei 1997, AB 1997, 379.
232 ABRS 18 september 2002, AB 2002, 41 m.nt. CMB.
233 ABRS 16 november 1998, AB 1999, 426 m.nt. dG.
234 ABRS 11 mei 2000, JB 2000, 165.
235 CRvB 14 september 2000, AB 2001, 133 m.nt. HH; CRvB 23 maart 1999, AB 1999, 318.
236 CRvB 31 december 2002, JB 2003, 53.
237 CRvB 4 maart 1997, RSV 1997, 212
238 CRvB 5 december 2002, RSV 2001, 39; CRvB 22 augustus 1997, 1997, AB 1997, 14 m.nt. FP; CRvB 11 april 1996, AB 1996, 257 m.nt. PJS; CRvB 13 februari 1996, AB 1996, 170 m.nt. FP.
239 ABRS 27 maart 2002, AB 2002, 196 m.nt. Sew.

toegezien of een afschrift van de volledige uitspraak aan partijen is toegezonden.[240] De appelrechter toetst ook ambtshalve of de rechtbank op juiste wijze toepassing heeft gegeven aan art. 8:55 Awb (verzetprocedure na vereenvoudigde afdoening op de voet van art. 8:54 Awb).[241] Ook op de juiste toepassing van de artikelen 6:18 en 6:19 Awb ziet de appelrechter ambtshalve toe.[242]

Verder geldt dat de rechter ambtshalve art. 8:69 Awb toepast. Dit betekent onder meer dat de appelrechter overgaat tot vernietiging van uitspraken waarin de rechtbank buiten de omvang van het geding is getreden, ook wanneer daartegen in hoger beroep geen bezwaar is gemaakt.[243]

De Procesregeling bestuursrecht bevat geen algemeen verbindende voorschriften. Wanneer de rechtbank in strijd handelt met een bepaling uit deze regeling, kan belanghebbende zich wel beroepen op strijd met algemene beginselen van een behoorlijke rechtspleging.[244] Zie hierover nader paragraaf 7.5.

5.3.8. Niet van openbare orde: voorschriften procedure in bezwaar

De door de rechtbank in acht te nemen procedurevoorschriften zijn van openbare orde. Dit ligt echter anders voor de voorschriften die de procedure in de bezwaarfase regelen. Die hoeven niet strikt te worden nageleefd en worden niet ambtshalve getoetst.

Zo gaat de rechter soepel om met het voorschrift van art. 6:6 Awb, dat belanghebbende van het bestuursorgaan een hersteltermijn moet krijgen, indien het door hem ingediende bezwaarschrift niet voldoet aan de wettelijke eisen (art. 6:5 Awb).[245]

Verder is al ettelijke malen beslist dat het in art. 7:2 Awb neergelegde voorschrift, dat het bestuursorgaan verplicht belanghebbende te horen voordat op het bezwaar wordt beslist, níet van openbare orde is. De rechter mag zich hier dus niet over uitlaten, wanneer belanghebbende daar zelf geen punt van maakt.[246]

> Wanneer belanghebbende wél aanvoert dat verzuimd is hem te horen in de bezwaarfase, mag de rechter daaraan niet met toepassing van art. 6:22 Awb (passeren vormvoorschriften) voorbij gaan. Het besluit moet dan vernietigd worden en het bestuursorgaan moet alsnog voldoen aan de hoorplicht, juist omdat – *'de hoorplicht een essentieel onderdeel van de bezwaarschriftenprocedure betreft.'*[247]

---

240 ABRS 26 maart 2003, JB 2003, 128.
241 CRvB 2 april 1998, AB 1998, 316 m.nt. HH. Zie voor een soortgelijke situatie in het vreemdelingenrecht: ABRS 15 augustus 2001, AB 2001, 328 m.nt. Sew, waarin echter merkwaardigerwijze op dit punt géén ambtshalve toetsing plaatsvindt.
242 CRvB 7 augustus 1997, AB 1997, 376 m.nt. HH; CRvB 7 april 1999, JB 1999, 123.
243 ABRS 19 maart 1999, AB 1999, 205 m.nt. MSV; ABRS 17 maart 1998, JB 1998, 130; CRvB 15 oktober 1998, AB 1999, 33 m.nt. HH.
244 CRvB 17 april 2003, JB 2003, 190 m.nt. EvdL (AB Kort 2003, 452).
245 De hersteltermijn mag telefonisch worden gegeven, ABRS 23 september 1999, JB 1999, 272 m.nt. K. Albers.
246 CRvB 7 februari 2001, AB 2001, 178 m.nt. HBr; CRvB 4 januari 2000, AB 2000, 146; CRvB 16 december 1999, AB 2000, 133 m.nt. HH (TAR 2000, 27); CRvB 15 oktober 1998, TAR 1998, 186 (pre-Awb); CRvB 23 september 1998, RSV 1999, 42; CRvB 7 april 1999, JB 1999, 123; CRvB 13 maart 1997, JB 1997, 104; CRvB 23 december 1996, AB 1997, 239; ABRS 29 juli 1996, JB 1996, 190 m.nt. MAH.
247 CRvB 4 januari 2000, AB 2000, 146; CRvB 23 december 1996, AB 1997, 239 m.nt. HBr.

Op deze uitspraken is veel kritiek uitgeoefend, want eigenlijk is niet goed te begrijpen waarom het voorschrift dat in de bezwaarfase moet worden gehoord, niet van openbare orde is.[248] De bezwaarschriftenprocedure is immers verplicht gesteld en de hoorzitting neemt in die procedure een centrale plaats in. Daarbij is in de wetsgeschiedenis gewezen op het belang van het *mondeling* horen van belanghebbende, het ter zitting verkrijgen van nadere informatie, het mogelijk gezamenlijk komen tot een oplossing voor de problemen en ten slotte het overtuigen van de burger dat aan zijn bezwaren ernstig aandacht is besteed.[249] Nadrukkelijk is níet gekozen voor het slechts op verzoek horen van belanghebbende. Aldus is goed verdedigbaar dat sprake is van een voorschrift dat zodanig essentieel is, dat de rechter los van de wil van partijen moet controleren of het is nageleefd.

Wanneer de rechter niet ambtshalve mag toetsen of aan de hoorplicht is voldaan, is het vanzelfsprekend dat ook niet ambtshalve mag worden getoetst of voldaan is aan art. 7:3 Awb, waarin is neergelegd in welke gevallen kan worden afgezien van de hoorplicht.[250] De rechter mag evenmin ambtshalve toetsen of aan de voorschriften neergelegd in art. 7:4 Awb (indiening en inzage van stukken voor het horen) en art. 7:6 Awb (het horen van meerdere belanghebbenden) is voldaan.[251]

Ook art. 7:11 Awb, dat bepaalt dat het besluit op bezwaar een volledige heroverweging van het bestreden besluit moet zijn, is niet van openbare orde en mag dus niet ambtshalve worden bijgebracht.[252]

Ambtshalve toetsen aan art. 7:13 lid 7 Awb (een beslissing tot afwijking van het advies van een bezwaarcommissie moet worden gemotiveerd) is evenmin toegestaan.[253]

5.3.9 Regels van internationaal recht

Hiervoor, bij paragraaf 4.8.3, kwam al aan de orde dat rechtstreeks werkende regels van internationaal recht in bepaalde gevallen ambtshalve dienen te worden bijgebracht. In zijn algemeenheid kan echter niet worden gesteld dat er een ambtshalve toetsingsplicht is voor verdragsbepalingen en andere bepalingen van internationaal recht.

Sommige bepalingen van internationaal recht zijn echter wel van openbare orde en dienen derhalve altijd ambtshalve te worden toegepast. Zo moet waarschijnlijk art. 85 EG-verdrag van openbare orde worden geacht.[254]

---

248 O.a. F.A.M. Stroink in zijn noot bij JB 1997, 99; M.A. Heldeweg in zijn noot bij JB 1996, 190.
249 PG Awb I, p. 329 (MvT).
250 CRvB 7 februari 2001, AB 2001, 178 m.nt. HBr.
251 CRvB 15 oktober 1998, AB 1999, 33 m.nt. HH (TAR 1998, 186).
252 ABRS 17 september 2003, JB 2003, 299 m.nt. C.L.G.F.H.A.
253 CRvB 29 april 2003, AB 2003, 307 m.nt. HBr (JB 2003, 192).
254 J.H. Jans e.a., *Inleiding tot het Europees bestuursrecht*, Nijmegen 2002, p. 363, op basis van HvJ EG C-126/96, Ecoswiss/Benetton, Jur. 1999, p. I-3055.

5.4 Samenvatting

In beginsel speelt de verplichting van de rechter om ambtshalve rechtsgronden aan te vullen zich af binnen de reikwijdte van de toetsing, en werkt deze uitsluitend ten gunste van de belanghebbende.

Wanneer echter rechtsgronden van openbare orde in het geding zijn, moet de rechter daar altijd ambtshalve aan toetsen. In veel gevallen werkt dit nadelig voor de belanghebbende, omdat ambtshalve toepassing wordt gegeven aan rechtsregels die beperkingen stellen aan de rechtsbescherming (zoals een bezwaar- of beroepstermijn).

Een duidelijke omschrijving van 'rechtsgronden van openbare orde' is er niet. Bepalend is in ieder geval niet of sprake is van dwingend recht. In grote lijnen geldt dat alle regels die betrekking hebben op de bevoegdheid van het bestuursorgaan en de ontvankelijkheid van het beroep, van openbare orde zijn. Ook de regels die het verloop van de procedure bij de rechtbank regelen zijn in beginsel van openbare orde.

HOOFDSTUK 6
Aanvullen van feiten

6.1 Inleiding

Art. 8:69 lid 3 Awb geeft de rechter de bevoegdheid om ambtshalve de feiten aan te vullen. Wanneer moet de rechter gebruik maken van deze bevoegdheid? Een lastig te beantwoorden vraag, omdat de rechter slechts zelden expliciet vermeldt dat zij gebruik maakt van de wettelijke bevoegdheid om feiten aan te vullen. Uit de uitspraak is dan niet af te leiden of toepassing is gegeven aan art. 8:69 lid 3 Awb. Ook in de literatuur is niet veel aandacht besteed aan het derde lid van art. 8:69 Awb, hoewel de bepaling het 'paradepaardje van het bestuursrecht' is genoemd.[255]
In dit hoofdstuk zal eerst het wettelijke kader geschetst worden van de rechterlijke bevoegdheid om feiten aan te vullen. Verder zal blijken dat in de rechtspraak heel verschillend wordt omgegaan met die bevoegdheid.

6.2 Waarheidsvinding en ongelijkheidscompensatie

De achtergrond van de bevoegdheid van de bestuursrechter om de feiten aan te vullen is gelegen in haar taak om in het proces de materiële waarheid te vinden. In de wetsgeschiedenis van de Awb is het zoeken naar de materiële waarheid aangemerkt als een belangrijke karakteristiek van het bestuursprocesrecht.[256]

> Hierin onderscheidt het bestuursprocesrecht zich van het civiele procesrecht, waar vanouds wordt aangenomen dat de rechter gebonden is aan de formele waarheid, dat wil zeggen de waarheid zoals partijen die aan de rechter presenteren. In het civiele procesrecht verliest dit beginsel echter aan betekenis. Zo is in het per 1 januari 2002 ingevoerde art. 21 Rv bepaald dat partijen verplicht zijn om de voor de beslissing van belang zijnde feiten volledig en naar waarheid aan te voeren. Uitgangspunt blijft echter art. 149 lid 1 Rv: de rechter mag slechts die feiten aan haar beslissing ten grondslag leggen, die haar in het geding bekend zijn geworden of door een partij zijn gesteld en volgens de regels van het bewijsrecht zijn vast komen te staan. Feiten die door de ene partij zijn gesteld en door de wederpartij niet of niet voldoende zijn betwist, moet de rechter in beginsel als vaststaand beschouwen.
>
> Het verschil tussen het civielrechtelijke en bestuursrechtelijke procesrecht is in de kern erin gelegen dat (a) de bestuursrechter ook feiten bij de beoordeling mag betrek-

---

255 R. Kooper, Ambtshalve toetsing en aanvulling van rechtsgronden, in: *JB-plus* (2002) p. 84-89, p. 87.
256 PG Awb II, p. 175 (MvT); PG Awb II p. 361-363 (VV II). Zie hierover nader R.H. de Bock, Waarheidsvinding in het bestuursrecht, in: C.P.M. Cleiren e.a., *Het procesrecht en de waarheidsvinding*, Den Haag 2001, p. 33-46.

ken die níet door de belanghebbende naar voren zijn gebracht, en (b) de bestuursrechter de juistheid van door de belanghebbende niet-betwiste feiten mag onderzoeken. Het onderscheid is echter in de rechtspraktijk aan erosie onderhevig.[257]

Dat de bestuursrechter uitspraak moet doen op basis van juist en volledig vastgestelde
feiten, is altijd vanzelfsprekend geacht. Algemeen wordt aangenomen dat de toetsing van
de juistheid en volledigheid van de door het bestuursorgaan vastgestelde feiten – al dan
niet als onderdeel van een toetsing aan het zorgvuldigheids- of motiveringsbeginsel –,
een primaire taak van de rechter is.[258] Ik duid deze opvatting hierna aan als de klassieke visie op het omgaan met feiten door de bestuursrechter.

Een ambtenaar wordt ontslagen wegens plichtsverzuim, omdat hij dag in dag uit te
laat op zijn werk komt. Wanneer beroep wordt ingesteld tegen het ontslagbesluit, zal
de bestuursrechter (onder meer) hebben te toetsen of de ambtenaar zich inderdaad
schuldig heeft gemaakt aan hetgeen hem wordt verweten.

De bevoegdheid van de rechter om feiten aan te vullen is in de wetsgeschiedenis
geplaatst in de sleutel van de plicht van de bestuursrechter tot het geven van *ongelijkheidscompensatie*.[259] Hieronder wordt verstaan dat de rechter in de bestuursrechtelijke
procedure tegenwicht dient te bieden tegen de voorsprong die het bestuursorgaan heeft
ten opzichte van de burger.[260] Door het aanvullen van feiten ten behoeve van de burger kan de rechter de ongelijkheid tussen bestuur en burger compenseren.

De mate waarin de rechter aan ongelijkheidscompensatie moet doen, is afhankelijk
van de behoefte van de betreffende burger, zo is in de wetsgeschiedenis te lezen: '*Uit
[art. 8:69 lid 3] vloeit voort dat de rechter wel bevoegd, maar niet verplicht is ambtshalve de
feiten aan te vullen. Dat geldt zowel de door het bestuur als de door de burger gestelde feiten.
Deze bepaling is, anders dan art. [8:69 lid 2] welbewust facultatief geredigeerd. Zij biedt de
rechter de mogelijkheid zijn attitude aan te passen aan de feitelijke verhouding tussen partijen
in het concrete geval. Naarmate de 'ongelijkheid' tussen partijen groter is, zal er voor de rechter
meer aanleiding kunnen zijn om van de hier bedoelde bevoegdheid gebruik te maken.*'[261]

---

257 Zie over het aanvullen van feiten door respectievelijk de civiele en de bestuursrechter nader K.J. de Graaf
& V.C.A. Lindijer, Over het verzamelen en uitsluiten van feiten, in: A.F.M. Brenninkmeijer (red.), *De
taakopvatting van de rechter*, Den Haag 2003, p. 151-172.

258 Bijv. J.B.J.M ten Berge/A.Q.C. Tak, *Nederlands administratief procesrecht, deel 1*, Zwolle 1983, p. 344, 348;
H.D.Van Wijk/W. Konijnenbelt & R.M. van Male, *Hoofdstukken van bestuursrecht*, Den Haag 2002, p. 300;
G.H. Addink, *Algemene beginselen van behoorlijk bestuur*, Deventer 1999, p. 244 e.v.; p. 271; B.W.N. de
Waard, *Beginselen van behoorlijke rechtspleging*, Zwolle 1987, p. 143 e.v.; P. Nicolaï, *Beginselen van behoorlijk
bestuur*, Deventer 1990, p. 111, 414 e.v.Vgl. ook N.Verheij in zijn noot bij ABRS 20 februari 2001, AB
2002, 29.

259 PG Awb II, p. 175 (MvT). Zie over dit begrip nader R.J.N. Schlössels, Ongelijkheidscompensatie in het
bestuursproces. Mythe of vergeten rechtsbeginsel? in: P.P.T. Bovend'Eert, L.E. de Groot-van Leeuwen,
Th.J.M. Mertens (red.), *De rechter bewaakt: over toezicht en rechters*, Deventer 2003, p. 139-164.

260 PG Awb II, p. 172 (MvT).

261 PG Awb II, p. 464 (MvA II).

Concreet betekent dit, nog steeds volgens de wetsgeschiedenis, dat de rechter bij een geschil tussen een groot bedrijf en een kleine gemeente, in mindere mate actief aan waarheidsvinding hoeft te doen.[262]

De rechter dient dus van geval tot geval te beoordelen wanneer zij de feiten dient aan te vullen. Leidraad is daarbij dat het aanvullen van feiten het bieden van *rechtsbescherming* aan de burger tot doel heeft.

Daarnaast kan ook 'handhaving van het objectieve recht' aan de orde zijn[263], namelijk wanneer de rechter ambtshalve toetst aan rechtsgronden van openbare orde (zie hoofdstuk 5).

Uit de wetsgeschiedenis blijkt dat de bevoegdheid tot het aanvullen van feiten niet alleen betrekking heeft op de *volledigheid* van de feiten, maar ook op de *juistheid* van de feiten.[264] Uit de taak van de bestuursrechter om aan waarheidsvinding te doen, vloeit voort dat zij een *actieve* en *onderzoekende* houding dient te hebben.[265]

6.3 Instrumenten voor feitenonderzoek

De wetgever heeft de rechter verschillende instrumenten aangereikt om onderzoek te doen naar de feiten en zo de materiële waarheid te achterhalen.
In de eerste plaats heeft de rechter in het *vooronderzoek* – wanneer *instructie* van de zaak plaatsvindt[266] – een groot aantal mogelijkheden tot waarheidsvinding. Zo kan de rechter een comparitie gelasten (art. 8:44 Awb); partijen om inlichtingen verzoeken (art. 8:45 Awb); getuigen oproepen en horen (art. 8:46 Awb); een deskundigenbericht inwinnen (art. 8:47 Awb) of een descente gelasten (art. 8:50 Awb). Wanneer de rechter van een van deze mogelijkheden gebruik maakt, is doorgaans tevens sprake van het aanvullen van feiten.

Als de rechter bijvoorbeeld partijen om inlichtingen verzoekt, kan zij gericht vragen naar feiten die niet uit het dossier blijken, of waarover het dossier vragen oproept. Zo kan de rechter vragen wat de reactie van de belanghebbende is geweest op een brief van het bestuursorgaan; wat het beleid van het bestuursorgaan in soortgelijke gevallen is; wat de huidige situatie is, enzovoort. Met het antwoord op die vragen is sprake van een aanvulling van feiten. Ook wanneer de rechter een deskundigenbericht inwint, kan een aanvulling van de feiten aan de orde zijn. De deskundige kan melding maken van feiten die niet uit de dossierstukken blijken, maar die hij door eigen onderzoek heeft verkregen.

---

262 PG Awb II, p. 175 (MvT).
263 PG Awb II, p. 173 (MvT).
264 PG Awb II, p. 464 (MvA II).
265 PG Awb II, p. 173 (MvT).
266 PG Awb II, p. 439 (MvT).

In de tweede plaats dient de rechter de *zitting* te gebruiken voor waarheidsvinding. De zitting neemt in het bestuursprocesrecht een centrale plaats in.

Zie de wetsgeschiedenis: '*De mondelinge behandeling kan een belangrijke bijdrage leveren aan het op tafel krijgen van de relevante feiten en omstandigheden. Zij kan verder een belangrijke bijdrage leveren aan de compensatie van de ongelijkheid tussen partijen. (...)*'[267]
Vergelijk over het belang van de zitting ook paragraaf 7.4.

De artikelen waarin de onderzoeksmogelijkheden voor de rechter zijn geregeld, zijn ook in hoger beroep van toepassing.[268] Zowel de rechter in eerste aanleg als de appelrechter kunnen derhalve aan feitenonderzoek doen.
Wanneer de rechter feiten aanvult, dient zij wel eerst partijen in de gelegenheid te stellen zich daarover uit te laten.[269] Zo wordt zeker gesteld dat voldaan is aan het vereiste van hoor en wederhoor, en wordt een 'verrassingsbeslissing' voorkomen.

6.4 Aanvullen van feiten en bewijsrecht

De bevoegdheid van de rechter om feiten aan te vullen door gebruikmaking van haar onderzoeksmogelijkheden, moet worden onderscheiden van de bevoegdheid van een *partij* om zijn standpunt (nader) te onderbouwen. In dat laatste geval hebben we het over *bewijzen*. De regels daarvoor vormen het bestuursrechtelijke bewijsrecht.[270] Om verwarring te voorkomen, verdient het aanbeveling níet over bewijsrecht te spreken wanneer het gaat over het onderzoeken van de feiten door de rechter.
Uiteraard hebben het onderzoeken van feiten door de rechter en het bewijzen door een partij wel alles met elkaar te maken. Een partij zal zelf meer aan bewijslevering moeten doen, naarmate de rechter minder doet aan onderzoek naar de feiten. En andersom, hoeft een partij zelf geen bewijs bij te brengen, wanneer de rechter zelf de feiten gaat onderzoeken. Feitenonderzoek door de rechter en bewijslevering door een partij zijn zo communicerende vaten. Het is daarom belangrijk dat een partij weet wat hij van de rechter kan verwachten. Met het oog daarop zou de rechter in een vroeg stadium van de procedure bekend moeten maken of zij gebruik gaat maken van haar onderzoeksbevoegdheden. Dit geldt zeker wanneer, zoals regelmatig gebeurt, een partij daarnaar vraagt.

Zo zou de rechter na kennisname van het beroepschrift in bijvoorbeeld een arbeidsongeschiktheidszaak, belanghebbende moeten laten weten of zij van plan is een des-

---

267 PG Awb II, p. 174 (MvT).
268 Dit volgt voor de CRvB uit art. 21 Beroepswet; voor de ABRS uit art. 39 Wet RvS en voor het CBB uit art. 22 Wbbo.
269 PG Awb II, p. 463 (MvT).
270 Dit valt buiten het bestek van dit boekje. Zie hierover onder andere Y.E. Schuurmans, Bewijslastverdeling in een bestuursrechtelijke context, in: *NTB* (2004), p. 19; H.J. Simon, Bewijzen in het bestuursrecht, in: *JB-plus* (1999) p. 25-39; M. Schreuder-Vlasblom, *Bestuursrechtelijk bewijsrecht. Ontwikkelingen na de inwerkingtreding van de Awb* (Nederlandse Vereniging voor Procesrecht), Dongen 1997; L.J.A. Damen e.a., *Bestuursrecht 2, Rechtsbescherming*, Den Haag 2002, p. 199 e.v.

kundige in te schakelen. Wanneer dat niet het geval is, kan de belanghebbende dit zelf alsnog doen. Enerzijds worden daarmee onnodige kosten voor belanghebbende voorkomen; anderzijds heeft belanghebbende duidelijkheid over zijn processuele positie.

In de praktijk ontbreekt deze duidelijkheid vaak. Noch de Awb noch de jurisprudentie biedt een duidelijk handvat voor de beantwoording van de vraag wanneer het op de weg ligt van een partij om bewijs bij te brengen, dan wel wanneer de rechter onderzoek naar de feiten dient te doen. Dit is een van de zwakke schakels van het bestuursprocesrecht. Verder lijkt het uitgesloten dat de rechter, wanneer zij een partij niet toestaat om bewijs te leveren – zie hierover nader paragraaf 8.2, waarin de *bewijsfuik* aan de orde komt – zelf wel gebruik maakt van haar onderzoeksmogelijkheden. In beide gevallen is het resultaat immers dat in de loop van de procedure feiten worden toegevoegd. Ook in dit opzicht is er een directe relatie tussen bewijsrecht en het onderzoeken van feiten door de rechter.

6.5 Feiten aanvullen binnen de omvang van de toetsing

Wanneer *mag* of *moet* de bestuursrechter nu gebruik maken van de bevoegdheid om feiten aan te vullen? In de Awb zijn daarover geen regels gegeven. De wetgever is ervan uitgegaan dat de bestuursrechtelijke colleges op dit punt beleid zouden ontwikkelen.[271] Dit is echter maar mondjesmaat gebeurd. Ook in de bestuursrechtelijke literatuur is niet veel aandacht besteed aan deze vraag.[272]
Mede in het licht van de wetsgeschiedenis[273] wordt algemeen aangenomen dat de bevoegdheid van de rechter tot het aanvullen van feiten zich in ieder geval afspeelt *binnen* de grenzen van de omvang (reikwijdte en inhoud) van de toetsing, zoals deze in de eerdere hoofdstukken aan de orde kwam.
Zo mag de rechter niet buiten de grenzen van het besluit treden. Zie hierover nader hoofdstuk 2.

Een belanghebbende vraagt een bijstandsuitkering aan per 1 januari 2001. Deze wordt geweigerd. Belanghebbende stelt beroep in. Het is niet de taak van de rechter om de inkomenssituatie van belanghebbende vóór 1 januari 2001 te onderzoeken en op dat punt de feiten aan te vullen. Deze feiten vallen buiten de grenzen van het besluit, dat immers gaat over de weigering per 1 januari 2001.

Vervolgens geldt dat het aanvullen van feiten zich dient te beperken tot de aangevochten onderdelen van het besluit, voor zover een beperking tot onderdelen aan de orde is. Zie hierover nader hoofdstuk 3.

---

271 PG Awb II, p. 175 (MvT).
272 Voor zover mij bekend heeft alleen M.S.E. Wulffraat-van Dijk een aanzet gegeven tot het ontwikkelen van een normatief kader voor het gebruik van de onderzoeksbevoegdheden door de bestuursrechter. Zie haar proefschrift: *Feitenonderzoek door de bestuursrechter*, Zwolle 1995.
273 PG Awb II, p. 463-463 (MvT en MvA II).

Een ambtenaar stelt beroep in tegen een voor hem nadelig uitgevallen functiewaarderingsbesluit. Aangevoerd wordt uitsluitend dat het bestuursorgaan de zelfstandigheid van de functie onjuist heeft ingeschat. Het ambtshalve aanvullen van feiten beperkt zich tot dit aspect van het besluit.

Voorts is het aanvullen van feiten slechts aan de orde, voor zover die feiten nodig zijn voor het ambtshalve aanvullen van rechtsgronden ten behoeve van belanghebbende.

Waar in het civiele recht de rechter beperkt is tot het aanvullen van rechtsgronden voor zover deze gedragen kunnen worden door de feitelijke stellingen van partijen (vergelijk paragraaf 4.3), geldt in het bestuursrecht, zo kan men zeggen, dat de rechter feiten moet aanvullen voor zover die nodig zijn voor het toepassen van de aan te vullen rechtsgronden.

Allewijn drukte het kernachtig zo uit: *'De civiele rechter zoekt het recht bij de feiten, de bestuursrechter zoekt de feiten bij het recht.'*[274]

Zoals we zagen, bestaat er geen overeenstemming over het antwoord op de vraag welke rechtsgronden aangevuld moeten worden; er is een ruime en een enge opvatting. Hieruit vloeit voort dat ook op de vraag wanneer ambtshalve feitenonderzoek moet worden verricht, geen eenstemmig antwoord is te geven. In de volgende paragrafen zal hierop nader worden ingegaan.

In de *ruime* opvatting van de Centrale Raad van Beroep wordt in veel gevallen het besluit in zijn geheel aan alle relevante rechtsgronden getoetst. In het geval dat bijvoorbeeld ambtshalve wordt nagegaan of aan een terugvorderingsbesluit een intrekkings- of herzieningsbesluit vooraf is gegaan. Dan zal moeten worden vastgesteld of zo'n besluit genomen is. Zo nodig moeten daarvoor de feiten ambtshalve worden aangevuld.[275]

Waar de Afdeling bestuursrecht zich bij het aanvullen van rechtsgronden beperkt tot de vertaling van de in het beroepschrift opgeworpen argumenten in de juiste juridische gronden, is het ambtshalve aanvullen van feiten veel minder aan de orde.

Er bestaat wel overeenstemming over dat het aanvullen van feiten door de rechter niet mag leiden tot een *reformatio in peius*. De positie van appellant mag niet verslechteren door de uitspraak op zijn beroep (vergelijk paragraaf 4.4). Het aanvullen van feiten ten behoeve van het bestuursorgaan is hierdoor sterk beperkt (vergelijk paragraaf 4.2). Het is niet de bedoeling dat de rechter, gebruik makend van haar onderzoeksbevoegdheden, onzorgvuldig onderzoek aan de zijde van het bestuursorgaan overdoet of verbetert. Dit is de eigen verantwoordelijkheid van het bestuursorgaan (art. 3:2 Awb).

---

274 D. Allewijn, Beschikkingsprocesrecht, in: *Het nieuwe bestuursprocesrecht* (VAR-reeks 112), Alphen aan den Rijn 1994, p. 67-127, p. 106.
275 Bijv. CRvB 19 juni 2001, RSV 2001, 207 m.nt. R. Stijnen.

Het Uwv vordert ten onrechte betaalde WAO-uitkering terug, omdat betrokkene zwart zou hebben bijgewerkt en daarvan geen opgave heeft gedaan. Het onderzoek naar de verdiensten van betrokkene is echter te summier geweest. De bevoegdheid van de bestuursrechter om nader onderzoek naar de feiten te doen, dient niet te worden gebruikt om de gebreken aan het onderzoek van het Uwv te herstellen.

Bij onduidelijkheid over de feiten mag – en moet – de rechter echter wél bij het bestuursorgaan nadere informatie inwinnen. Op basis van de verkregen informatie kan de rechter de motivering van het besluit verbeteren, aanvullen of verduidelijken. De rechter geeft het bestuursorgaan hiermee de mogelijkheid om tijdens de procedure de feiten nog aan te vullen. Vergelijk op dit punt paragraaf 2.9.
Wanneer het ambtshalve toetsen aan rechtsgronden van openbare orde aan de orde is, zoals besproken in hoofdstuk 5, moet de rechter zonodig steeds ambtshalve de feiten aanvullen.

Zo moet de rechter ambtshalve nagaan of de bezwaar- en beroepstermijnen zijn nageleefd. Indien de stukken hierover twijfel oproepen – bijvoorbeeld over de exacte verzenddatum van het besluit –, moet de rechter die feiten uitzoeken.

6.6 Toetsing ex nunc en ex tunc

Als hoofdregel geldt dat de rechter het bestreden besluit moet toetsen aan de hand van de feiten en omstandigheden zoals deze er waren toen het besluit op bezwaar werd genomen. Dit is de *ex tunc* toetsing: hoe lagen de feiten en omstandigheden toen, op het moment dat het besluit op bezwaar werd genomen. Met nieuwe feiten en omstandigheden ('nova') mag de rechter geen rekening houden.

Op deze hoofdregel is een uitzondering gemaakt in het vreemdelingenrecht. Daar geldt op grond van art. 83 Vw 2000 dat de rechtbank bij de beoordeling van het beroep rekening houdt met feiten en omstandigheden die na het nemen van het bestreden besluit zijn opgekomen, tenzij de goede procesorde zich daartegen verzet of de afdoening van de zaak daardoor ontoelaatbaar wordt vertraagd.[276]

De besluitvorming in bezwaar dient daarentegen – in beginsel – *ex nunc* plaats te vinden. Bij het nemen van het besluit op bezwaar moet wél rekening worden gehouden met feiten en omstandigheden die zich hebben voorgedaan na het primaire besluit.[277] Ook wanneer het besluit door de rechter is vernietigd en het bestuursorgaan een nieuw besluit op bezwaar neemt, moet dit vervangende besluit – in beginsel – *ex nunc* worden genomen.[278]

---

276 Zie hierover nader K.F. Bolt, Dat verandert de zaak! De eerste ervaringen met de rechterlijke ex nunc-toetsing, in: *JB-plus* (2002) p. 158-169; W. van Blommestein, Toetsing ex nunc; in het vreemdelingenrecht én in het bestuursrecht? in: *NTB* (2000) p. 128-137.
277 Bijv. CRvB 12 juli 2000, RSV 2000, 209; CRvB 3 juni 1997, JB 1997, 194 (RSV 1997, 303).
278 Zie B.J. Schueler, *Vernietigen en opnieuw voorzien* (diss.), Zwolle 1994, p. 215-234.

Op de hoofdregel van ex nunc-toetsing bij heroverweging door het bestuursorgaan, bestaan vele uitzonderingen.[279] Zo geldt voor sanctiebesluiten in beginsel dat zij moeten worden heroverwogen op grond van de feiten en omstandigheden die golden op het moment dat het sanctiebesluit werd genomen.[280]

Voor ons onderwerp is van belang dat het feit dat de rechter ex tunc toetst, tot gevolg heeft dat het aanvullen van feiten zich beperkt tot de feiten ten tijde van het nemen van het bestreden besluit. Wanneer het gaat om een besluit dat betrekking heeft op een bepaald tijdstip of op een bepaalde periode, geldt dat het moet gaan om de feiten op dát tijdstip of in díe periode.

> Beroep wordt ingesteld tegen de weigering om voor het jaar 2004 een subsidie te verlenen aan een kunstinstelling, omdat op 1 december 2003 – het toetsingsmoment – niet voldaan is aan de vereisten zoals gesteld in de toepasselijke regeling. Wanneer de rechter feiten aanvult, zal het altijd moeten gaan om feiten die betrekking hebben op het relevante toetsingsmoment, 1 december 2003.

Feiten of omstandigheden die betrekking hebben op een later tijdstip of een latere periode, vallen buiten de grenzen van het besluit (vergelijk paragraaf 2.6) en daarmee buiten de omvang van het geding.

Dat nieuwe feiten – van ná het bestreden besluit – buiten beschouwing moeten blijven, wil echter niet zeggen dat feiten die pas in de procedure bij de rechter naar voren komen, buiten beschouwing moeten blijven.

> Het bestuursorgaan vordert een gedeelte van een uitkering terug wegens het verzwijgen van inlichtingen. In beroep bij de rechter voert betrokkene – voor het eerst – aan dat hij wél de inlichtingen heeft verstrekt; uit bij het beroepschrift gevoegde stukken blijkt dat dit inderdaad juist is. Het beginsel van ex tunc-toetsing neemt niet weg dat de rechter dit nieuwe feit bij de beoordeling betrekt.

Zolang het gaat om feiten die zich voordeden ten tijde van het bestreden besluit – of: die betrekking hebben op het relevante tijdstip of de relevante periode –, vallen ze binnen de reikwijdte van de toetsing. Zie hierover nader paragraaf 8.3.

6.7 De Centrale Raad van Beroep en het aanvullen van feiten

Hiervoor werd al genoemd dat door de ruime opvatting van de Centrale Raad van Beroep over het aanvullen van rechtsgronden, het aanvullen van de feiten ook op ruime

---

279 Volgens Verheij zijn er zo veel uitzonderingen op deze regel, dat hij als regel niet juist is. Zie nader N. Verheij, Tussen toen en nu. Het relevante tijdstip voor besluitvorming in bezwaar en toetsing in beroep, in: *JB-Plus* (2003), p 26-47. Zie verder o.a. ABRS 13 november 2002, AB 2003, 135 m.nt. NV; ABRS 22 januari 1998, JB 1998, 55.

280 Zie over deze materie nader C.P.J. Goorden, Toetsing van sanctiebesluiten in bezwaar, in: *NTB* (1999), p. 231 e.v. Vgl. ook ABRS 28 december 1999, AB 2000, 107 m.nt. FM; ABRS 23 april 2003, AB 2004, m.nt. BdeW.

schaal plaatsvindt, en dat hier een verschil ligt met de werkwijze van de Afdeling bestuursrechtspraak.

Belangrijker in het verschil in benadering tussen de appelcolleges is echter het volgende. De Centrale Raad van Beroep hanteert de 'klassieke visie' op de taak van de bestuursrechter bij het omgaan met de feiten: de rechter moet de feiten die aan het bestreden besluit ten grondslag zijn gelegd, toetsen op juistheid en volledigheid (zie paragraaf 6.2). Dit betekent dat de rechter, los van de vraag of het besluit zorgvuldig tot stand is gekomen, dient na te gaan of het besluit op een juiste feitelijke grondslag berust.

Een onjuiste vaststelling van de feiten kán het gevolg zijn van onzorgvuldig onderzoek. Maar dit hoeft niet zo te zijn. Bijvoorbeeld wanneer een belanghebbende het bestuursorgaan niet de juiste feitelijke gegevens verschaft, kan sprake zijn van een zorgvuldige voorbereiding van het besluit, terwijl de feiten toch onjuist zijn vastgesteld. Ook wanneer een door de rechter geraadpleegde deskundige tot een ander oordeel over de (medische) feiten komt dan de medisch adviseur van het bestuursorgaan, hoeft geen sprake te zijn van een besluit dat onzorgvuldig is voorbereid.

De klassieke visie brengt met zich mee dat de rechter bij de beoordeling van de vraag of het besluit op een juiste feitelijke grondslag berust, alle informatie zal betrekken die daarover tijdens de procedure naar voren komt. Het gaat er immers om een zo goed mogelijk gefundeerd oordeel uit te spreken over die feiten.

Deze zienswijze komt bijvoorbeeld naar voren in de volgende overweging van de Centrale Raad: '(...) *nu het partijen vrij staat hun stellingen met betrekking tot de juistheid van de feiten waarvan bij het nemen van een beslissing als de onderhavige dient te worden uitgegaan, tijdens de behandeling van het beroep, of hoger beroep, nader te staven met later opgekomen bewijsmiddelen.*'[281] Vergelijk ook paragraaf 8.4.

In deze benadering past dat de rechter bij *twijfel over de juistheid* van de aan het besluit ten grondslag gelegde feiten, daarnaar ambtshalve onderzoek instelt. Uit de jurisprudentie van de Centrale Raad van Beroep blijkt dat de Raad inderdaad regelmatig gebruik maakt van de bevoegdheid tot ambtshalve onderzoek naar de feiten. Dit is op te maken uit de weergave van het procesverloop, waaruit blijkt dat vaak vragen worden voorgelegd aan het bestuursorgaan of belanghebbende, deskundigen worden ingeschakeld, of een partijen wordt opgeroepen om ter zitting te verschijnen om daar nadere vragen van de Raad te beantwoorden. In al die gevallen is het doel: het zo veel mogelijk juist vaststellen van de feiten.[282]

Wanneer aanvullende informatie is verkregen, zal de rechter de feiten zonodig zelf kunnen corrigeren of aanvullen en op basis daarvan, indien mogelijk, het geschil beslechten. Het is niet de bedoeling dat de rechter een zorgvuldigheidsvernietiging uitspreekt;

---

281 CRvB 23 juli 1996, RSV 1997, 17.
282 Bij het vaststellen van feiten gaat het natuurlijk niet om een mathematische exercitie. *De juiste feiten* bestaan niet.

zij dient zelf een oordeel over de feiten te vormen.[283] Daarvoor heeft de rechter ook de bevoegdheid om zelf in de zaak te voorzien (art. 8:72 lid 4 Awb).

Indien de *totstandkoming* van het besluit onzorgvuldig is geweest, dient de rechter wel een zorgvuldigheidsvernietiging uit te spreken.[284]

Hiervan kan sprake zijn wanneer aan het besluit verouderde gegevens ten grondslag zijn gelegd, of wanneer in het geheel verzuimd is relevante gegevens te verzamelen.

Maar wanneer is nu precies het aanvullen van feiten aan de orde? Wanneer moet de rechter twijfelen aan de juistheid van de feiten?

De rechter mag de lat niet te hoog te leggen voor het laten ontstaan van twijfel. Zo mag niet als vereiste worden gesteld dat een belanghebbende met een eigen deskundigen-rapport de juistheid van de feitenvaststelling door het bestuur betwist.[285]

In de praktijk is dit wel anders. Realiteit is tegenwoordig dat zonder een eigen des-kundigenrapport van de belanghebbende, de kans klein is dat de rechter een des-kundige inschakelt.

Het is voldoende wanneer 'gegevens van feitelijke aard' naar voren worden gebracht, *'waar-van niet op voorhand vaststaat dat zij niet van belang kunnen zijn voor de beoordeling van de aan-spraken en de deugdelijkheid van de motivering.'*[286] Het onderzoek naar de feiten kan de rech-ter doen door inlichtingen te vragen aan het bestuursorgaan of, *'indien de gegevens die inge-bracht zijn op zichzelf genomen voldoende zijn om te twijfelen aan de juistheid* [van de door het bestuursorgaan vastgestelde feiten – RHdB] *door het inschakelen van een deskundige.'*

De beslissing tot de inschakeling van een deskundige is daarmee sterk gebonden aan de persoonlijke visie ('twijfel') van de rechter. Het wekt dan ook geen verwondering dat er in de praktijk op dit punt grote verschillen zijn tussen de rechtbanken.[287] Vanuit een oogpunt van rechtszekerheid en rechtsgelijkheid is dat niet wenselijk.

Het zou goed zijn wanneer de Centrale Raad hier meer sturend optreedt, zeker omdat de inschakeling van een deskundige in geschillen waar vragen van medische aard aan de orde zijn, in de meeste gevallen van doorslaggevend belang is voor de uitkomst van de procedure. De Raad zou meer uitvoerig kunnen motiveren waarom in het ene geval wel en in het andere geval niet een deskundige wordt ingeschakeld.

Voor wat betreft het horen van getuigen door de rechter is van belang dat de Awb niet het *recht* geeft aan een partij om bewijs te leveren, zoals het civiele procesrecht dat doet voor het bewijs door getuigen (art. 166 Rv). De Centrale Raad legt art. 8:63 lid 2 Awb

283 CRvB 12 januari 1999, RSV 1999, 86.
284 CRvB 30 september 1997, AB 1998, 67.
285 Wanneer het bestuursorgaan zelf al extern advies heeft ingewonnen ligt het anders, zie CRvB 11 augus-tus 1999, RSV 1999, 241.
286 CRvB 12 januari 1999, RSV 1999, 86.
287 Uit een onderzoek van een door de SSR ingestelde werkgroep blijkt dat er tussen de verschillende rechtbanken volstrekt geen overeenstemming is over de vraag wanneer een deskundige moet worden ingeschakeld. Zie het rapport van de werkgroep medische bezwaarschriftenprocedure, Zutphen, 1999, waarin wordt gesproken over 'grote rechtsongelijkheid' en een 'tombola'.

echter zo uit, dat de rechter alleen kan afzien van het horen van getuigen indien zij van oordeel is dat dit redelijkerwijs niet kan bijdragen aan de beoordeling van de zaak.[288] Wanneer een belanghebbende de rechter verzoekt getuigen te horen, moet de rechter daaraan derhalve voldoen, indien dit redelijkerwijs kan bijdragen aan de beoordeling van de zaak.

6.8 De Afdeling bestuursrechtspraak en het aanvullen van feiten

De rechtspraak van de Afdeling bestuursrechtspraak geeft een geheel ander beeld.

Uit onderzoek blijkt dat wanneer de Afdeling optreedt als *appelrechter*, zij nooit gebruik maakt van de onderzoeksbevoegdheden uit de Awb.[289] Zo schakelt de Afdeling, anders dan de Centrale Raad van Beroep, in hoger beroep zelf nooit een deskundige in. Wanneer twijfel bestaat over de juistheid van de door het bestuursorgaan vastgestelde feiten, is de Afdeling van oordeel dat dat aanleiding had moeten zijn voor de *rechtbank* om zelf een nader onderzoek naar de feiten te doen, met name door het benoemen van een deskundige.[290] De Afdeling verwijst de zaak dan terug naar de rechtbank, zodat daar alsnog een deskundigenonderzoek kan plaatsvinden.

Kennelijk is de Afdeling van mening dat in hoger beroep niet, of misschien slechts in beperkte mate, het aanvullen van feiten aan de orde is. Een bijzondere opvatting – die door de Afdeling overigens nooit is gemotiveerd –, gezien het feit dat art. 8:69 lid 3 Awb ook in hoger beroep geldt.

In andere uitspraken heeft de Afdeling zich op het standpunt gesteld dat bij een onzorgvuldige vaststelling van of onderzoek naar de feiten, het aan het *bestuursorgaan* is om opnieuw de feiten te onderzoeken. In dat geval wordt een zorgvuldigheidsvernietiging uitgesproken en moet het bestuursorgaan het huiswerk opnieuw doen.

> Een belanghebbende verzoekt om een invalidenparkeerkaart. B&W stellen op basis van een medisch advies als feit vast dat belanghebbende meer dan honderd meter kan lopen, en om die reden geen aanspraak kan maken op de parkeerkaart. De belanghebbende heeft echter in bezwaar een verklaring van haar revalidatiearts overgelegd, waarin is vermeld dat zij níet honderd meter kan lopen. De Afdeling is van oordeel dat B&W gehandeld hebben in strijd met het zorgvuldigheidsbeginsel door naar aanleiding van de verklaring van de revalidatiearts niet opnieuw medisch advies in te winnen.[291]

Uit meer recente uitspraken is af te leiden dat de Afdeling hoe dan ook van mening is, dat er *na* het bestreden besluit geen plaats meer is voor aanvullend feitenonderzoek door de rechter.

---

288 CRvB 8 november 2000, AB 2001, 141 m.nt. HBr.
289 A.T. Marseille, De dagelijkse praktijk van het hoger beroep bij de Afdeling bestuursrechtspraak, in: *NJB* (2003) p. 1062-1069.
290 ABRS 5 oktober 1999, AB 2001, 21 m.nt. JSt; ABRS 30 november 1998, AB 1999, 90 m.nt. FM (JB 1999, 12 m.nt. R.J.N.S.).
291 ABRS 12 december 2001, AB 2002, 126 m.nt. A.T. Marseille.

Het is mogelijk dat deze jurisprudentielijn alleen opgaat voor bepaalde soorten besluiten, namelijk besluiten op aanvraag waarbij de bewijslast op de belanghebbende berust. Dit blijkt echter niet duidelijk uit de betreffende uitspraken.

De gedachte hierbij is dat het bestuursorgaan geen rekening heeft kunnen houden met de feiten die uit dat nadere onderzoek naar voren komen, zodat, in de visie van de Afdeling, het niet juist is wanneer de rechter daarmee wél rekening zou houden.

Vergelijk de bewijsfuik (zie hierna bij paragraaf 8.2), die meebrengt dat een *partij* na het besluit op bezwaar geen nieuwe bewijsmiddelen meer mag aandragen.

In deze visie is er geen ruimte voor bijvoorbeeld het horen van getuigen tijdens de procedure bij de rechter. Immers, feiten of omstandigheden die uit het getuigenverhoor naar voren zouden komen, zijn feiten die dateren van na het bestreden besluit, waarmee het bestuursorgaan derhalve geen rekening heeft kunnen houden bij het nemen van dat besluit.

Zie in deze zin de Afdeling: '*De rechtbank heeft voorts terecht overwogen, dat om die reden* [namelijk: dat het bestuursorgaan bij zijn besluitvorming mocht uitgaan van de feiten en omstandigheden zoals die zich op dat moment aan hem voordeden – RHdB] *een in beroep af te leggen getuigenverklaring (...) niet aan de rechtmatigheid van het besluit (...) kan afdoen.*'[292]

Het uitgangspunt van ex tunc-toetsing – getoetst moet worden op grond van de feiten zoals deze zich voordeden ten tijde van het besluit op bezwaar – betekent voor de Afdeling kennelijk ook dat de juistheid van de aan het besluit ten grondslag gelegde feiten niet mag worden getoetst aan de hand van feitenonderzoek door de rechter.
Ook het inschakelen van een deskundige door de rechter is niet meer aan de orde; het deskundigenbericht komt immers tot stand *na* het bestreden besluit.

In de bekende Silicose-uitspraak komt de Afdeling inderdaad tot deze conclusie. [293]

Verder is ook het belang van de *zitting* minder geworden. In ieder geval hoeft daar niet meer aan waarheidsvinding te worden gedaan. Vergelijk paragraaf 7.4.
De Afdeling ziet dus een beperkte taak weggelegd voor de bestuursrechter bij het onderzoek naar (de juistheid van) de feiten. Wanneer door belanghebbende in een procedure wordt aangevoerd dat het bestuursorgaan de feiten onjuist heeft vastgesteld, 'vertaalt' de Afdeling deze stelling in de vraag of het bestuursorgaan op zorgvuldige wijze informatie heeft verzameld – wat ook betekent dat een belanghebbende zonodig in de

---

292　ABRS 13 februari 2002, AB 2002, 123 m.nt. NV. Vgl. ook ABRS 1 juni 2001, AB 2002, 406 m.nt. AMLJ; ABRS 12 mei 1995, JB 1995, 167.
293　ABRS 28 juni 1999, AB 1999, 197 m.nt. MSV (JB 1999, 197 m.nt. R.J.N.S.). Zie hierover B. van den Berg, Werpt de Silicose-II uitspraak artikel 8:47 Awb in de prullenbak? in: *JB-plus* (2000) p. 15-25; L.J. Damen, De bewijsfuik. Hoe en wanneer moet een oud-mijnwerker zijn silicose bewijzen? in: *Ars Aequi* (2000) p. 61-69. Zie in soortgelijk zin al eerder ABRvS 9 april 1992, AB 1992, 583 m.nt. RMvM.

gelegenheid moet zijn gesteld om zelf informatie aan te dragen –, en aldus in redelijkheid tot de betreffende feitenvaststelling had kunnen komen. Indien die vragen bevestigend kunnen worden beantwoord, is er in beginsel geen ruimte meer voor de rechter om tot het oordeel te komen dat de feiten onjuist zijn vastgesteld.

In dit verband wordt ook wel gesproken over het *retrospectieve* proces bij de Afdeling, waar tegenover de *volledige* beoordeling van de Centrale Raad staat.[294]

Wanneer voor betrokkene duidelijk kon zijn dat hij bepaalde bewijsstukken diende aan te leveren en hij dit toch niet doet, valt het doek.[295]

Een uitglijder is ABRS 23 juli 2003[296], waar de Afdeling sanctioneerde dat het bestuursorgaan een aanvraag om schadevergoeding afwees, zonder te hebben gereageerd op een aanbod van betrokkene, *voorafgaand* aan het primaire besluit, om zonodig bewijsstukken te overleggen ter ondersteuning van zijn verzoek. Zorgvuldig is deze handelwijze immers niet te noemen.

Het onderzoek naar de juistheid van de feiten lost zich zo op in een zorgvuldigheidstoets.[297] Dit is een fundamentele breuk met de klassieke visie op de toetsing van de feiten door de bestuursrechter. De rechter houdt zich immers niet meer bezig met het zo veel mogelijk juist en volledig vaststellen van de feiten, maar beperkt zich tot de controle van de feitenvaststelling door het bestuursorgaan.

Een duidelijk voorbeeld biedt de zaak over bewaarprei.[298] Een ministeriële regeling biedt een schadevergoedingsregeling aan landbouwbedrijven voor overstromingsschade. Een belanghebbende verzoekt om schadevergoeding voor door hem geteelde prei. Het bestuursorgaan kent schadevergoeding toe, waarbij is uitgegaan van de prijs voor winterprei. In bezwaar voert de belanghebbende aan dat hij niet winterprei maar bewaarprei teelt, waarvoor een hogere prijs geldt. In het besluit op bezwaar gaat het bestuur hieraan voorbij, waarbij wordt overwogen dat betrokkene verzuimd heeft bewijsstukken aan te leveren voor zijn stelling dat hij bewaarprei teelt.
In beroep bij de rechtbank brengt de belanghebbende alsnog de bewijsstukken voor de teelt van bewaarprei in het geding. Op grond daarvan oordeelt de rechtbank dat het bestuursorgaan ten onrechte heeft aangenomen dat betrokkene winterprei teelde, zodat het besluit wordt vernietigd. De Afdeling heeft echter een andere redenering: het bestuursorgaan heeft onzorgvuldig gehandeld door niet vóór het besluit op bezwaar duidelijk te maken aan de belanghebbende dat hij bewijsstukken diende aan te dragen voor zijn stelling dat hij bewaarprei teelt. De Afdeling mengt zich dus

294 L.J.A. Damen e.a., *Bestuursrecht 2, Rechtsbescherming*, Den Haag 2002, p. 202.
295 ABRS 22 januari 2003, JB 2003, 68.
296 ABRS 23 juli 2003, AB 2003,448 m.nt. BJS (JB 2003, 258).
297 Zie hierover nader: R.H. de Bock, De toetsing van feiten door de bestuursrechter en het vriespunt van de Afdeling bestuursrechtspraak, in: *JB-plus* (2000) p. 161-172.
298 ABRS 19 augustus 1999, AB 1999, 403 m.nt. MSV.

nadrukkelijk níet in een eigen beoordeling van tijdens de rechterlijke procedure in het geding gebrachte bewijsstukken.

Ook het College van Beroep voor het bedrijfsleven volgt deze lijn (soms).[299]

In het verlengde van de door de Afdeling gehanteerde zorgvuldigheidstoets ligt dat het betwisten van de juistheid van feiten door een belanghebbende weinig zinvol is wanneer hij niet zelf met een deskundigenrapport komt.[300] Dat deskundigenrapport moet dan, zo volgt uit het voorgaande, wel in de bezwaarfase zijn overgelegd. Dit geldt in ieder geval wanneer het bestuursorgaan bij de voorbereiding van het besluit zélf gebruik heeft gemaakt van de expertise van een deskundige. Wanneer het bestuursorgaan niet serieus ingaat op een door de belanghebbende in het geding gebrachte deskundigenrapport, oordeelt de Afdeling regelmatig dat de besluitvorming door het bestuur onzorgvuldig was.[301]

Kennelijk is de Afdeling van oordeel dat het feitenonderzoek in de *bestuurlijke fase* dient plaats te vinden en niet bij de rechter. Achterliggende gedachte is dat het in beginsel de bevoegdheid van het bestuursorgaan is om de feiten vast te stellen, en dat het niet op de weg van de bestuursrechter ligt om de besluitvorming opnieuw te doen. Van dat laatste zou sprake zijn indien de bestuursrechter zelf feiten zou gaan vaststellen.[302]

> Vergelijk ook nadrukkelijk voor het vreemdelingenrecht: '*Zoals de Afdeling eerder heeft overwogen (...) behoort de vaststelling of en in hoeverre bij de beoordeling van een asielaanvraag wordt uitgegaan van de door de vreemdeling in zijn asielrelaas naar voren gebrachte feiten tot de verantwoordelijkheid van de minister en kan die vaststelling door de rechter slechts terughoudend worden getoetst.*'[303]
>
> Die terughoudende toetsing heeft de volgende consequentie: '*De maatstaf bij de te verrichten toetsing is evenwel niet het eigen oordeel van de rechter over de geloofwaardigheid van het relaas, maar de vraag of grond bestaat voor het oordeel dat de minister, gelet op de motivering, neergelegd in het voornemen en het bestreden besluit (...) niet in redelijkheid tot zijn oordeel over de geloofwaardigheid van het relaas kon komen.*'[304]

Er is dus sprake van een terughoudende wijze van toetsing, een 'marginale toetsing'[305] van de feiten door de Afdeling. De klassieke visie op de rol van de bestuursrechter bij de controle op de juistheid en volledigheid van de feiten is hiermee verlaten.

---

299 Bijv. CBB 14 november 2002, AB 2003, 63 m.nt. JHvdV.
300 ABRS 16 april 2003, AB 2003, 219 m.nt. AvH (JB 2003, 165). In zaken waarin een welstandsadvies betwist wordt, is dit vaste rechtspraak, zie ABRS 13 mei 1996, BR 1996, 654 m.nt. J.W. Weerkamp.
301 ABRS 11 juni 2003, AB Kort 2003, 429; ABRS 12 december 2001, AB 2002, 126 m.nt. A.T. Marseille.
302 Zie voor een apologie van de werkwijze van de Afdeling: E.J. Daalder en M. Schreuder-Vlasblom, Balanceren boven nul: de vaststelling van feiten in het bestuursprocesrecht, in: *NTB* (2000) p. 214-218.
303 ABRS 15 november 2002, AB 2003, 96 m.nt. Y.E. Schuurmans.
304 ABRS 27 januari 2003, AB 2003, 286 m.nt. BPV. Vgl. ook ABRS 1 augustus 2003, AB 2003, 427 m.nt. Sew.
305 Zie bijv. Y.E. Schuurmans in haar noot bij AB 2003, 96.

6.8.1 Uitzondering: bestraffende sancties

De aan een bestraffend sanctiebesluit ten grondslag gelegde feiten mogen door de rechter niet terughoudend worden getoetst. Bij de toetsing van een dergelijk besluit dient de rechter 'ouderwets' de feitelijke grondslag van het besluit op juistheid te onderzoeken.[306]

> De Staatssecretaris van Sociale Zaken en Werkgelegenheid legt een bestuurlijke boete op aan een bedrijf in verband met een arbeidsongeval, waarbij een werknemer van een steiger is gevallen. De Afdeling overweegt dat wanneer sprake is van een sanctie met een bestraffend karakter, *'aan de bewijsvoering van de overtreding en aan de motivering van het sanctiebesluit strenge eisen dienen te worden gesteld.'*[307]
> Zie over bestraffende sanctiebesluiten eerder al paragraaf 4.8.2.

Bij deze besluiten vindt derhalve wel feitenonderzoek door de rechter plaats, mogelijk ook in hoger beroep. Over dat laatste is in de rechtspraak geen uitsluitsel te vinden.

6.8.2 Uitzondering: milieugeschillen en ruimtelijke-ordeningszaken

Een tweede opvallende uitzondering op de in paragraaf 6.8 geschetste werkwijze van de Afdeling bestuursrechtspraak vormen de milieugeschillen en ruimtelijke-ordeningszaken (met name bestemmingsplanprocedures). In deze geschillen wordt regelmatig een deskundige ingeschakeld, namelijk de vaste adviseur van de Afdeling: de Stichting Advisering Bestuursrechtspraak voor Milieu en Ruimtelijke Ordening (de StAB). Niet vereist is dat belanghebbende eerst zelf met een deskundigenrapport komt. Criterium voor de Afdeling is of zij van mening is dat haar kennis tekortschiet. In bepaalde zaken wordt echter standaard advies ingewonnen.[308]
De Afdeling verstrekt aan de StAB in veel gevallen een zeer algemeen geformuleerde adviesaanvraag, gericht op de aan het geschil ten grondslag liggende feiten en omstandigheden. Daargelaten of het wenselijk is dat de rechter een deskundige zo'n ruime en ongespecificeerde vraagstelling voorlegt, is vooral opmerkelijk dat de vraagstelling uitnodigt tot het op ruime schaal aanvullen van feiten. Dit gebeurt dan ook in de praktijk. Ook bevat het advies regelmatig juridische overwegingen.[309]
Uit de rechtspraak van de Afdeling blijkt niet waarom in milieugeschillen en bestemmingsplanprocedures zo'n fundamenteel andere werkwijze wordt gevoerd dan in andere zaken.

---

306 Zie nader C.L.G.F.H. Albers en R.J.N. Schlössels, De bestuurlijke boete: een koekoeksei in het bestuursprocesrecht? in: *NTB* (2002) p. 187-198.
307 ABRS 16 oktober 2002, AB 2003, 194 m.nt. OJ; ABRS 7 augustus 2002, AB 2003, 176 m.nt. OJ (JB 2002, 279 m.nt. A.J.C.M. Geers); ABRS 15 februari 2001, AB 2001, 194 m.nt. B.J. Schueler (JB 2001, 194 m.nt. K. Albers). Vgl ook ABRS 2 mei 2000, AB 2000, 267 m.nt. MSV.
308 Zie nader T.C. Leemans, De rol van de deskundige in milieugeschillen, in: *De beoordeling van milieugeschillen door de bestuursrechter (preadviezen van de werkgroep jurisprudentie van de Vereniging voor Milieurecht)*, Den Haag 2002, p. 95-139, p. 107. Vgl. ook A. Freriks en J. Robbe, *Vijf jaar StAB*, Den Haag 2001.
309 T.C. Leemans, a.w. p. 113.

6.9 Samenvatting

Art. 8:69 lid 3 Awb geeft de rechter de bevoegdheid tot het aanvullen van feiten. Deze bevoegdheid stelt de rechter in staat in het proces de materiële waarheid te vinden. Materiële waarheidsvinding is vanouds een belangrijke karakteristiek van het bestuurs- procesrecht. Zij moet worden gezien in relatie met de opdracht aan de rechter om tegenwicht te bieden aan de processuele voorsprong van het bestuursorgaan (ongelijk- heidscompensatie).

De Awb biedt de rechter vele mogelijkheden om aan waarheidsvinding te doen. In het vooronderzoek staan de rechter middelen ten dienste als het inschakelen van een des- kundige en het stellen van vragen aan partijen. Verder is de mondelinge behandeling ter zitting bij uitstek het moment voor de rechter om aan waarheidsvinding te doen.

De bevoegdheid tot het aanvullen van feiten speelt zich af binnen de omvang van het geding. Dit betekent in de eerste plaats dat het aanvullen van feiten plaats dient te vin- den binnen de reikwijdte van de toetsing.

In de tweede plaats beperkt het aanvullen van feiten zich tot de inhoud van de toetsing. Dat wil zeggen dat aanvulling van feiten slechts plaatsvindt voor zover die feiten nodig zijn voor toetsing aan de relevante rechtsgronden. Zoals in hoofdstuk 4 aan de orde kwam, is er een ruime en een enge opvatting over het aanvullen van rechtsgronden. Dit heeft gevolgen voor de ruimte die er is voor het aanvullen van feiten. Hoe meer rechts- gronden worden aangevuld, hoe meer het aanvullen van feiten nodig kan zijn. Binnen de ruime opvatting van de Centrale Raad van Beroep is het aanvullen van feiten der- halve meer aan de orde dan in de enge opvatting van de Afdeling bestuursrechtspraak. Daarnaast blijkt zich in de jurisprudentie echter een fundamenteel verschil van inzicht af te tekenen tussen de appelcolleges over de bemoeienis van de bestuursrechter met de feiten. In de klassieke visie is het de primaire taak van de rechter om de feiten die aan het bestreden besluit ten grondslag liggen, zo veel mogelijk juist en volledig vast te stel- len. Deze klassieke visie, welke ook ten grondslag heeft gelegen aan de Awb, is die van de Centrale Raad van Beroep. Hierin past dat de rechter bij twijfel aan de juistheid van de feiten, zelf onderzoek doet naar die feiten en deze vervolgens zelf vaststelt.

Voor zover is af te leiden uit de rechtspraak heeft de Afdeling bestuursrechtspraak – althans in een aantal van de rechtsgebieden die tot haar competentie horen – de klas- sieke visie verlaten. Volgens de Afdeling is het niet de taak van de rechter om zo nodig zelf opnieuw de feiten vast te stellen, maar gaat het erom dat getoetst wordt of het bestuursorgaan de feiten op zorgvuldige wijze heeft vergaard en vastgesteld. De feiten zelf worden slechts marginaal getoetst; de vraag naar de juistheid van de feiten lost zich op in de vraag of het bestuursorgaan in redelijkheid de feiten heeft kunnen vaststellen zoals die aan het besluit ten grondslag zijn gelegd.

Verder is op grond van de jurisprudentie aannemelijk dat de Afdeling in ieder geval geen rol voor onderzoek naar de juistheid van de feiten ziet weggelegd, wanneer zij optreedt als appelrechter. Hoe de visie van de Afdeling te rijmen is met de tekst en wets- geschiedenis van art. 8:69 lid 3 Awb, is niet duidelijk.

HOOFDSTUK 7
De goede procesorde

7.1 Inleiding

De term 'een goede procesorde' houdt een norm in voor het verloop van de rechterlijke procedure. Het verloop van die procedure dient 'goed' te zijn. Het begrip 'goede procesorde' heeft niet één vaste inhoud. Het is een diffuus begrip, dat in verschillende betekenissen wordt gebruikt. In de rechtspraktijk wordt de norm van een goede procesorde vaak in negatieve zin geformuleerd: een standpunt of processuele houding van een partij – of van een rechter – wordt *in strijd met (de beginselen van) een goede procesorde* geacht. De goede procesorde kan dan een beperking van de omvang van het geding inhouden. Het is in deze context dat de goede procesorde hier wordt besproken.

De Waard onderscheidt twee hoofdbetekenissen van een goede procesorde.[310] Dat is in de eerste plaats de regel dat het proces *behoorlijk* moet verlopen. Deze regel is uit te werken in de beginselen van een behoorlijke rechtspleging, zoals bijvoorbeeld het beginsel van hoor en wederhoor. Hierop hebben de paragrafen 7.2 en 7.3 betrekking.

In de tweede plaats houdt een goede procesorde in dat de procedure *ordelijk* behoort te verlopen. Daarbij is te denken aan het voortvarend en efficiënt verlopen van de procedure, wat ook wel wordt aangeduid met het begrip proceseconomie. Dit onderwerp is aan de orde in paragraaf 7.4.

Het beginsel dat de procedure ordelijk moet verlopen, brengt ook verplichtingen voor de *rechter* met zich mee. Zie hierover paragraaf 7.5.

7.2 Kenbaarheid van processtukken

Een centraal uitgangspunt in de rechtelijke procedure is dat rechter en alle procespartijen over dezelfde processtukken dienen te beschikken. Dit uitgangspunt is te zien als een uitwerking van de norm dat de procedure behoorlijk dient te verlopen.

Dit betekent dat de rechter nooit stukken bij de toetsing mag betrekken, die bij (een van de) partijen niet bekend zijn.

Zie echter art. 8:32 Awb, waarin is bepaald dat in de daar genoemde uitzonderingsgevallen de rechter kan beslissen dat kennisneming van een processtuk is voorbehouden aan een gemachtigde (arts of advocaat) van een partij.

---

310 B.W.N. de Waard, De goede procesorde, in: *JB-plus* (2001) p. 148-162. Zie nader B.W.N. de Waard, *Beginselen van behoorlijke rechtspleging, met name in het administratief procesrecht*, Zwolle 1987.

Deze regel is ook af te leiden uit het eerste lid van art. 8:69 Awb, waarin is bepaald dat de rechtbank uitspraak doet *'op de grondslag van (...) de overgelegde stukken'*. Handelen in strijd met deze regel is als een processuele doodzonde aan te merken.

Zie bijvoorbeeld ABRS 14 september 2001[311], waarin de Afdeling korte metten maakt met de uitspraak van een rechtbank die was gedaan op basis van een door het bestuursorgaan ingezonden stuk, dat niet aan belanghebbende was toegezonden. Vergelijk voor het civiele procesrecht bijvoorbeeld HR 29 september 2000, NJ 2000, 655; HR 29 november 2002, RvdW 2002, 189.

Het is de rechter evenmin toegestaan om stukken in de procedure te betrekken die afkomstig zijn uit een ander dossier dan dat waarop de procedure betrekking heeft. Dit geldt ook wanneer partijen die stukken misschien wel kennen. Want het gaat er ook om dat aan partijen bekend moet zijn op grond van welke stukken de rechter uitspraak zal doen: alleen de 'overgelegde stukken'.

Het blijkt in de praktijk voor rechters wel eens verleidelijk te zijn om 'ambtshalve' kennis te nemen van stukken uit een ander dossier, bijvoorbeeld van een tussen dezelfde partijen eerder gevoerd geding over een voorlopige voorziening. Ook dat is niet toegestaan.[312]

Een bijzonderheid van het bestuursprocesrecht is dat de processtukken niet alleen voor ieder kenbaar, maar ook *volledig* dienen te zijn. Het is een verplichting van het bestuursorgaan om alle stukken die op de zaak betrekking hebben, in te zenden (art. 8:42 Awb).

Als sanctie mag de rechter *'de gevolgtrekkingen maken die haar geraden voorkomen'* (art. 8:31 Awb). De rechter moet dan wel eerst het bestuursorgaan in de gelegenheid stellen de ontbrekende stukken in te zenden.[313]

7.3 Hoor en wederhoor

In het verlengde van de regel dat de rechter geen uitspraak mag doen op grond van stukken die niet bij beide partijen bekend zijn, ligt het beginsel dat beide partijen steeds de gelegenheid dienen te krijgen om te reageren op in het geding gebrachte stukken. Dit is een aspect van het beginsel van hoor en wederhoor: elke procespartij behoort steeds de mogelijkheid te hebben zich te kunnen uitlaten over stukken die door de andere partij in het geding zijn gebracht.

311　ABRS 14 september 2001, JB 2001, 276 m.nt. EvdL; Vgl. ook CRvB 11 april 1995, RSV 1996, 15.
312　CRvB 11 februari 1999, TAR 1999, 54.
313　CRvB 16 januari 2001, AB 2001, 104 m.nt. HBr; CRvB 30 juli 1999, RSV 1999, 286.

In het civiele procesrecht is dit beginsel neergelegd in art. 19 Rv: *'De rechter stelt partijen over en weer in de gelegenheid hun standpunten naar voren te brengen en toe te lichten en zich uit te laten over elkaars standpunten en over alle bescheiden en andere gegevens die in de procedure ter kennis van de rechter zijn gebracht, een en ander tenzij uit de wet anders voortvloeit. Bij zijn beslissing baseert de rechter zijn oordeel, ten nadele van een der partijen, niet op bescheiden of andere gegevens waarover die partij zich niet voldoende heeft kunnen uitlaten.'*

Toepassing van het beginsel van hoor en wederhoor leidt ertoe dat, indien een van de partijen nieuwe stukken inzendt, de rechter de andere partij steeds voldoende gelegenheid moet geven om daarop te reageren. In de praktijk doen zich op dit punt vooral problemen voor wanneer een partij vlak voor of op de zitting nog met nieuwe stukken komt.

Op grond van art. 8:58 lid 1 Awb moeten stukken uiterlijk tien dagen voor de zitting zijn ingediend. Door de Afdeling is heel precies aangegeven hoe deze tien-dagennorm moet worden toegepast.[314] De Centrale Raad is soepeler en legt er meer de nadruk op dat art. 8:58 Awb de *bevoegdheid* geeft om de stukken te weigeren. Afhankelijk van aard en inhoud van het stuk kan de rechter beslissen het stuk toch mee te nemen.[315]

Deze stukken kunnen dan ter plekke worden overhandigd aan de wederpartij – aangenomen dat deze op de zitting aanwezig is –, maar daarmee is nog niet gezegd dat die wederpartij ook voldoende gelegenheid heeft om op die stukken te reageren. De rechter moet aan dat belang van de wederpartij zwaarwegende betekenis hechten.[316] In zo'n situatie dient de rechter het onderzoek ter zitting te schorsen (art. 8:64 lid 1 Awb) en de wederpartij de gelegenheid te geven op een later tijdstip te reageren op de nieuwe stukken. Ook kan het vooronderzoek heropend worden (art. 8:68 lid 1 Awb), wat tot gevolg heeft dat opnieuw een zitting moet worden belegd. Alleen wanneer partijen daarvoor toestemming geven, kan worden afgezien van een nieuwe zitting (art. 8:64 lid 5 Awb). De tien-dagentermijn geldt ook in de bezwaarfase. Tot tien dagen voor de hoorzitting kunnen nadere stukken worden ingediend (art. 7:4 lid 1 Awb). Het bestuursorgaan mag niet in de bezwaarfase nadere termijnen stellen aan belanghebbende voor het indienen van stukken. Zolang de wettelijke termijn wordt nageleefd, is er geen reden stukken buiten beschouwing te laten.[317] Het beginsel van hoor en wederhoor staat er ook aan in de weg dat de rechter op de zitting partijen hoort buiten elkaars aanwezigheid, tenzij op juiste wijze toepassing is gegeven aan art. 8:29 Awb (geheimhouding bij gewichtige redenen).[318]

---

314 ABRS 24 december 2002, AB 2003, 158; ABRS 21 november 1996, JB 1997, 7. Wanneer het gaat om termijnen waaraan het bestuursorgaan zich moet houden, is de Afdeling wat minder precies, zie ABRS 18 september 2003, JB 2003, 315.
315 CRvB 4 april 2003, JB 2003, 256; CRvB 4 oktober 2000, JB 2000, 334; CRvB 26 september 1996, AB 1997, 139.
316 CRvB 4 oktober 2000, JB 2000, 334.
317 CRvB 3 december 2002, AB Kort 2003, 108.
318 ABRS 9 juli 2003, JB 2003, 254 m.nt. AMLJ; CRvB 4 april 2003, JB 2003, 182.

7.4 Geen onredelijke vertraging

Wanneer zo veel mogelijk recht wordt gedaan aan het beginsel van hoor en wederhoor, kan spanning ontstaan met de goede procesorde in de tweede betekenis: het niet ordelijk verlopen van de procedure. Het ordelijk verlopen van de procedure houdt namelijk ook in dat met enige voortvarendheid wordt geprocedeerd. Het is de taak van de rechter om in de gaten te houden dat de procedure niet te veel vertraging oploopt.

Vanuit dit oogpunt kan de rechter ervoor kiezen om stukken die laat in de procedure worden ingebracht, buiten beschouwing te laten.

> Welke keuze de rechter maakt, kan afhangen van bijvoorbeeld de vraag of partijen instemmen met een heropening van het vooronderzoek, en of er een goede reden is voor het pas op de zitting inbrengen van nieuwe stukken.
>
> Het spreekt wel vanzelf dat de rechter geen stukken buiten beschouwing mag laten omdat een partij daar pas vlak voor de zitting kennis van heeft kunnen nemen, indien het aan de rechtbank zelf te wijten is dat het stuk zo laat is doorgestuurd.[319]

Belangrijk is dat het buiten beschouwing laten van stukken door de rechter wegens strijd met een goede procesorde, geen doorwerking heeft in hoger beroep.[320] De betreffende stukken kunnen derhalve in hoger beroep alsnog in het geding worden gebracht.

Iets anders is het wanneer een partij op de zitting nog met nieuwe argumenten komt. In het licht van de wetsgeschiedenis zouden daartegen, voor wat betreft de belanghebbende, eigenlijk geen bezwaren mogen bestaan. De zitting is er immers juist voor bedoeld om na te gaan waartegen de bezwaren van een belanghebbende zich precies richten (paragraaf 3.3). Ook geeft de zitting de rechter gelegenheid om aan waarheidsvinding te doen (paragraaf 6.3).[321] Kortom, in het bestuursrecht neemt de mondelinge behandeling ter zitting een centrale rol in, juist ook omdat geen sprake is van verplichte rechtsbijstand.

> Zie de parlementaire geschiedenis: '*Eveneens in het verlengde van de rechterlijke attitude in het bestuursprocesrecht ligt het gewicht dat van oudsher is toegekend aan het onderzoek ter zitting. De mondelinge behandeling kan een belangrijke bijdrage leveren aan het op tafel krijgen van de relevante feiten en omstandigheden. Zij kan bijdragen aan de compensatie van de ongelijkheid tussen partijen. Ten slotte kan zij fungeren als correctief op het hierna te memoreren gegeven dat in het bestuursprocesrecht geen sprake is van verplichte procesvertegenwoordiging of verplichte rechtsbijstand.*'[322]

---

319   ABRS 14 december 2000, JB 2001, 15 m.nt. R.J.N.S.
320   CRvB 20 juli 2001, *NJB*-katern 2001, 21; CRvB 16 oktober 1998, AB 1999, 48 (RSV 1999, 45).
321   Er is minder aanleiding om het bestuursorgaan de gelegenheid te geven op de zitting nog met nieuwe argumenten of toelichtingen te komen, zie CBB 4 maart 2003, JB 2003, 117.
322   PG Awb II, p. 173 (MvT).

De praktijk is echter vaak anders.[323] De zitting wordt als sluitstuk gezien van de procedure, die zich in schriftelijke vorm al een tijd heeft voortgesleept. Dan is het niet handig dat er op de zitting nog veel nieuwe dingen aan de orde komen. Vanwege het beginsel van hoor en wederhoor kan het immers nodig zijn om het onderzoek ter zitting te schorsen en het vooronderzoek te hervatten (art. 8:64 Awb).

Ook op dit punt bestaat er echter verschil van inzicht tussen de Centrale Raad van Beroep en de Afdeling bestuursrechtspraak. De Centrale Raad van Beroep heeft in het algemeen geen probleem met nieuwe feiten of argumenten die ter zitting naar voren komen. Ook acht de Raad het geen probleem dat voor het eerst op de zitting een verzoek om schadevergoeding ex art. 8:73 Awb wordt gedaan.[324]

Daarentegen wordt in de jurisprudentie van de Afdeling regelmatig beslist dat het in strijd is met de eisen van een goede procesorde wanneer een belanghebbende op de zitting bij de rechter met nieuwe argumenten komt[325], zeker wanneer deze ook dan nog weinig concreet zijn. De Afdeling bestuursrechtspraak acht het eveneens in strijd met een goede procesorde wanneer een belanghebbende een argument pas op de zitting nader specificeert.[326]

> Dit is opmerkelijk, omdat strikt genomen geen nieuwe argumenten ter zitting worden aangevoerd. Wanneer de rechter bij kennisname van het beroepschrift een bepaald argument onvoldoende gespecificeerd acht, ligt het voor de hand dat zij bij de belanghebbende vraagt om een toelichting daarop.
>
> Het standpunt van de Afdeling past in haar visie op het aanvullen van feiten door de rechter, zie paragraaf 6.8.

Nog verdergaand is het oordeel dat een tijdig voor de zitting gegeven nadere schriftelijke toelichting, strijdig is met een goede procesorde.[327] Dergelijke jurisprudentie moet echter worden gelezen tegen de achtergrond van het door de Afdeling gehanteerde trechtermodel, dat in hoofdstuk 8 zal worden behandeld. Dit toetsingsmodel houdt kortweg in dat een belanghebbende alle argumenten direct in de bezwaarfase aan de orde dient te stellen. Nieuwe argumenten in (hoger) beroep worden niet toegestaan. De Afdeling heeft het trechtermodel vaak verdedigd met een beroep op de goede procesorde. Vriend en vijand van het trechtermodel zijn het er echter over eens dat de goede procesorde daarvoor in ieder geval géén deugdelijke motivering biedt.

> Zo schrijft Schreuder-Vlasblom over het voor dit doel inzetten van 'de goede procesorde': *'Bovendien, ook voor de goede procesorde is een overmatig beroep daarop eerder fnuikend dan stimulerend. Men tast de inhoud en daarmee de overtuigingskracht van een maatstaf*

---

323 Zie over de rol van de zitting ook A.T. Marseille, *Procederen bij de bestuursrechter*, Deventer 2003, p. 59 e.v.

324 CRvB 3 oktober 2002, AB 2002, 398, m.nt. WV. Vergelijk over het moment van indienen van een vordering ex art. 8:73 Awb nader paragraaf 9.6.

325 ABRS 19 september 2001, AB 2001, 357 m.nt. NV; ABRS 13 juni 2001, AB 2001, 338 m.nt. NV bij AB 2001, 339; ABRS 21 mei 2001, AB 2002, 234 m.nt. K.J. de Graaf; ABRS 18 november 1996, JB 1997, 6 m.nt. R.J.N.S.

326 ABRS 29 november 1999, AB 2000, 131 m.nt. AvH; ABRS 11 december 1998, JB 1998, 15.

327 ABRS 16 december 1996, AB 1997, 94.

aan door hem te onpas – in de verkeerde context – te gebruiken. Altijd maar zeker waar het
gaat om de gevoelige problematiek rond de (on)tijdigheid van gronden van bezwaar en (hoger)
beroep heeft de rechtspraak behoefte aan substantiële argumenten die een herkenbaar, zinvol doel
dienen, niet aan caoutchouc, waarvan onduidelijk is waartoe het gekneed wordt.' [328]

7.5 Beginselen van een goede rechtspleging

De rechter behoort erop toe te zien dat de regels voor een goede procesorde worden
nageleefd. Daarnaast heeft de rechter echter ook eigen verplichtingen ten opzichte van
partijen, voortvloeiend uit de beginselen van een goede procesorde. Men spreekt hier
ook wel over de eisen van een goede of behoorlijke rechtspleging.[329]

Zo handelt de rechter in strijd met de eisen van een goede rechtspleging, wanneer zij
ambtshalve rechtsgronden aanvult zonder partijen eerst in de gelegenheid te stellen zich
hierover uit te laten.[330] Verder is het handelen in strijd met de Procesregeling bestuursrecht in strijd met de eisen van een behoorlijke rechtspleging.[331]

Ook is het in strijd met eisen van een goede rechtspleging, wanneer de rechter haar
uitspraken niet behoorlijk motiveert. Als leidraad kan daarbij gelden het door de Hoge
Raad gegeven criterium:

> 'De motivering van een rechterlijke uitspraak behoort voldoende inzicht te geven in de aan haar
> ten grondslag liggende gedachtegang, om de beslissing zowel voor derden – andere rechters daar-
> onder begrepen – als voor partijen, controleerbaar en aanvaardbaar te maken.'[332]

Het is niet te veel gezegd dat in ieder geval de kwaliteit van de rechtspraak over art. 8:69
Awb, getoetst aan dit criterium, voor verbetering vatbaar is.

De eisen van een goede rechtspleging brengen ook met zich mee dat de rechter partij-
en duidelijkheid biedt over hun processuele positie. Zo zou bij partijen bekend moeten
zijn of de rechter gebruik gaat maken van haar onderzoeksmogelijkheden (paragraaf
6.3), en of de rechter hen nog in de gelegenheid stelt nader bewijs te leveren (paragraaf
8.2). Het is niet acceptabel dat een partij hierover pas duidelijkheid krijgt op de zitting,
of, zoals vaak gebeurt, in de uitspraak. De rechtspraktijk schiet hier ernstig tekort.

---

328 Zie haar noot bij ABRS 11 april 2000, AB 2000, 244. In vergelijkbare zin haar noot bij ABRS 1 juni
     1999, AB 1999, 326.
329 B.W.N. de Waard, *Beginselen van behoorlijke rechtspleging, met name in het administratief procesrecht*, Zwolle
     1987.
330 CRvB 16 december 1999, AB 2000, 133 m.nt. HH; ABRS 8 augustus 1996, JB 1996, 198 m.nt. MAH
     (BR 1997, p. 120 m.nt. F.A.M.S.).
331 CRvB 17 april 2003, JB 2003, 190 m.nt. EvdL (AB Kort 2003, 452).
332 HR 29 juni 2001, NJ 2001, 495. Idem HR 25 oktober 2002, NJ 2003, 171 (AB 2003, 421 m.nt. PvB).

7.6 Samenvatting

De goede procesorde kan beperkingen meebrengen voor de omvang van het geding. Wanneer stukken niet bekend zijn bij een partij, moet de rechter deze buiten beschouwing laten. Verder moet voldaan zijn aan het beginsel van hoor en wederhoor. Dit kan betekenen dat stukken of argumenten die te laat in de procedure naar voren worden gebracht, buiten beschouwing worden gelaten door de rechter.

Het bewaken van de goede procesorde brengt met zich mee dat de rechter erop moet toezien dat de procedure geen onredelijke vertraging oploopt. Verschil tussen de appelcolleges is er op dit punt met name voor wat betreft hun visie op de zitting. De Centrale Raad van Beroep aanvaardt in veel gevallen dat op de zitting nog nieuwe stukken of argumenten naar voren komen. De Afdeling bestuursrechtspraak is hier aanzienlijk strenger. Kwesties die voor het eerst op de zitting naar voren komen, worden door de Afdeling in het algemeen terzijde gelaten met een beroep op de goede procesorde.

De eisen van een goede procesorde brengen ook verplichtingen voor de rechter mee. Twee punten springen er daarbij uit. In de eerste plaats de eis dat rechterlijke uitspraken inzichtelijk moeten worden gemotiveerd. In de tweede plaats de eis dat de rechter partijen duidelijkheid behoort te verschaffen over hun processuele positie. Op beide punten is er in het bestuursprocesrecht nog veel te doen.

HOOFDSTUK 8

Beperking in de keten van rechtsbescherming

8.1 Inleiding

Het besluit vormt de buitengrens van de reikwijdte van de toetsing. Een nadere inperking vindt plaats, zo was aan de orde in hoofdstuk 3, doordat de toetsing zich dient te beperken tot de door belanghebbende aangevochten onderdelen van het besluit. Dit uitgangspunt wordt echter sterk gerelativeerd in de rechtspraak van de Centrale Raad van Beroep door het verwevenheidscriterium. Toepassing van dit criterium leidt ertoe dat de motivering van een besluit als één geheel wordt gezien, zodat in beginsel alle onderdelen van het besluit worden getoetst. De Afdeling bestuursrechtspraak houdt daarentegen vast aan een beperking van de toetsing tot de aangevallen onderdelen van een besluit.

Voor wat betreft de inhoud van de toetsing kwam in hoofdstuk 4 aan de orde dat de rechter ambtshalve de rechtsgronden dient aan te vullen. In de ruime opvatting – terug te vinden in de rechtspraak van de Centrale Raad van Beroep – betekent dit dat de rechter ambtshalve het besluit toetst aan alle relevante rechtsgronden. In de enge opvatting, die blijkt uit de rechtspraak van de Afdeling bestuursrechtspraak, dient de rechter zich te beperken tot het juridisch vertalen van de in het beroepschrift aangevoerde argumenten. Voor alle bestuursrechtelijke colleges geldt dat aan rechtsgronden van openbare orde altijd ambtshalve dient te worden getoetst.

De laatste jaren heeft zich in de rechtspraak van de Afdeling bestuursrechtspraak nog een nadere beperking van de bestuursrechtelijke toetsing afgetekend. Deze beperking houdt in dat het niet mogelijk is voor een belanghebbende om in beroep dan wel hoger beroep, nieuwe argumenten toe te voegen. De belanghebbende moet zich beperken tot de argumenten die hij in een eerdere fase van de bestuursrechtelijke procedure heeft aangevoerd. Deze beperking is in dit hoofdstuk aan de orde.

8.2 Fuik of trechter

Wanneer de bestuursrechtelijke toetsing zich moet beperken tot de aangevochten onderdelen van een besluit, zou kunnen worden gedacht dat *per instantie* – bezwaar, beroep, hoger beroep – wordt beoordeeld tegen welke onderdelen van het besluit de bezwaren van een belanghebbende zich precies richten. De belanghebbende zou dan in beroep andere onderdelen van het besluit ter discussie kunnen stellen dan in de bezwaarprocedure. Per instantie kan worden nagegaan welke argumenten precies worden aangevoerd.

Dit is echter niet de benadering van de Afdeling bestuursrecht. Uit de rechtspraak van de Afdeling blijkt dat zij van oordeel is dat het niet aanvechten van bepaalde onderdelen van een besluit blijvende gevolgen heeft voor de omvang van de toetsing in elke volgende instantie. Evenzo heeft het niet aanvoeren van bepaalde argumenten consequenties voor de inhoud van de toetsing in elke volgende instantie. De vraag wat de omvang van de toetsing is, wordt dus mede bepaald aan de hand van wat in de voorafgaande instanties is gebeurd. Dit geldt zowel voor de *reikwijdte* als voor de *inhoud* van de toetsing.

Omdat het op dit punt niet goed mogelijk is om reikwijdte en inhoud van de toetsing te onderscheiden, zullen beide aspecten in dit hoofdstuk tezamen worden besproken.

Het is in dit verband dat in de literatuur het beeld van een *fuik* of *trechter* is opgevoerd: elke beperking in de omvang van de toetsing, brengt een beperking voor de volgende fase mee.
Damen heeft hier het begrip argumentatieve fuik geïntroduceerd.

Hij omschrijft deze fuik als volgt:[333]
- wat niet in de aanvraag (of aanvulling daarop) is aangevoerd, mag in beginsel niet pas in de bezwaarschriftenprocedure worden aangevoerd;
- wat in de bezwaarschriftenprocedure had kunnen worden aangevoerd, mag in beginsel niet pas bij de rechter worden aangevoerd;
- wat niet in het beroepschrift bij de rechter is aangevoerd, mag in beginsel niet pas ter zitting worden aangevoerd;
- wat bij de rechtbank had kunnen worden aangevoerd, mag in beginsel niet pas in hoger beroep worden aangevoerd.

De fuik houdt overigens níet in dat wat niet in een verzoek om voorlopige voorziening is aangevoerd, niet in het beroepschrift zou kunnen worden aangevoerd, ook niet wanneer zij op de voet van art. 8:86 Awb tezamen worden afgedaan ('kortsluiting').[334]

Het is duidelijk dat hiermee een ingrijpende beperking aan de omvang van de toetsing wordt gegeven. Bij elk argument dat door een belanghebbende wordt aangevoerd, moet de rechter zich afvragen of dit ook al in een eerdere fase van de procedure is aangevoerd. Wanneer dat niet het geval is, moet het argument buiten beschouwing blijven.
Dit kan betekenen dat een onderdeel van het besluit, waartegen eerder geen argumenten zijn aangevoerd, niet meer ter beoordeling aan de rechter kan worden voorgelegd. Ook een nieuw opgeworpen argument tegen een wel eerder aangevochten onderdeel van het besluit, moet buiten beschouwing blijven. Een uitzondering wordt slechts aanvaard wanneer het niet verwijtbaar is dat de nieuwe argumenten niet eerder waren aangevoerd.[335] Uit de jurisprudentie blijkt echter niet hoe deze norm precies wordt ingevuld.

---

333 L.J.A. Damen, Rechtsvorming door de bestuursrechter onder de Awb, in: F.A.M. Stroink e.a. (red.), *Vijf jaar JB en Awb*, Den Haag 1999, p. 9-37.
334 ABRS 24 april 1998, JB 1998, 145 m.nt. R.J.N.S.
335 ABRS 25 januari 2001, AB 2001, 171 m.nt. FM.

Naast de argumentatieve fuik kent de Afdeling bestuursrechtspraak ook de *bewijsfuik*.[336] Deze variant heeft betrekking op het leveren van bewijs door een belanghebbende. De bewijsfuik houdt in dat wanneer betrokkene pas in beroep of hoger beroep met bewijs-stukken voor zijn argumenten komt, de rechter hieraan voorbij kan gaan, omdat die stuk-ken niet bekend waren aan het bestuursorgaan bij het nemen van het bestreden besluit.

Deze bewijsfuik speelt zich dus af in de situatie dat een belanghebbende de *bewijslast* heeft voor een bepaalde stelling.[337] Dit zal doorgaans – in ieder geval voor een gedeelte – het geval zijn bij besluiten op aanvraag.

De bewijsfuik betekent voor de belanghebbende dat hij al in de bezwaarfase alle beschikbare bewijsmiddelen aan het bestuursorgaan moet geven. Alleen wanneer betrokkene aannemelijk kan maken dat hij de betreffende stukken niet eerder kon over-leggen, wordt een uitzondering op deze regel aanvaard.[338]
In het vervolg zullen argumentatieve fuik en bewijsfuik tezamen worden aangeduid als 'het trechtermodel'.

8.3 Het trechtermodel van de Afdeling bestuursrechtspraak

Het trechtermodel is ontwikkeld in de rechtspraak van de Afdeling over de Wet milieu-beheer (Wm). Procedures over een besluit waarbij een vergunning ingevolge de Wm is verleend, kennen een specifieke procedure. Op grond van art. 20 lid 6 lid 2 Wm kan namelijk tegen zo'n besluit alleen beroep worden ingesteld door degenen die beden-kingen hebben ingebracht tegen het ontwerp van het besluit.

Zie art. 20.6 lid 2 sub a t/m d Wm voor een omschrijving van de beroepsgerechtigden.

De Afdeling heeft uit deze bepaling afgeleid – kort samengevat – dat tegen het besluit in beroep bij de rechter alleen argumenten mogen worden aangevoerd die hun grond-slag vinden in de eerder ingebrachte bedenkingen.

Zie ABRS 9 mei 1995[339]: *'(...) dat in de gevallen, bedoeld onder a en c, tegen het besluit slechts beroepsgronden kunnen worden voorgedragen die hun grondslag vinden in de door de desbetreffen-de rechtzoekende tegen het ontwerp van het besluit ingebrachte bedenkingen dan wel betrekking hebben op wijziging die bij het nemen van het besluit ten opzichte van het ontwerp daarvan zijn aangebracht.'*[340]

---

336 L.J.A. Damen, De bewijsfuik. Hoe en wanneer moet een oud-mijnwerker zijn silicose bewijzen? in: *Ars Aequi* (2000) p. 61-69.

337 Zie hierover Y.E. Schuurmans, Bewijslastverdeling in een bestuursrechtelijke context, in: *NTB* (2004) p. 1-9.

338 ABRS 20 februari 2001, AB 2002, 29 m.nt. NV, waarin overigens geoordeeld werd dat zo'n geval zich niet voordeed.

339 ABRS 9 mei 1995, AB 1995, 529.

340 Vgl. ook ABRS 6 januari 1997, AB 1997, 167 m.nt. JV; ABRS 27 augustus 1998, AB 1999, 61 m.nt. JV; Vz ABRS 18 mei 1995, KG 1995, 258.

Het 'hebben van een grondslag in eerder ingebrachte bedenkingen', wordt door de Afdeling strikt uitgelegd. Die eerdere bedenkingen moeten *voldoende concreet* zijn om als grondslag te kunnen dienen voor in beroep aangevoerde argumenten.

Zo kwam een omwonende op tegen een milieuvergunning voor het oprichten en in werking hebben van een melkveehouderij. In zijn bedenkingen tegen het ontwerpbesluit voerde hij aan dat hij overlast zou ervaren van het bedrijf. Het door hem in beroep aangevoerde argument dat hij stankhinder zou ondervinden, werd door de Afdeling niet geaccepteerd omdat dit argument pas in beroep was aangevoerd, en *'de (....) onderdelen van het bedenkingenschrift onvoldoende concreet zijn om als grondslag voor deze beroepsgrond te kunnen dienen.'* [341]

Hierna heeft de Afdeling deze lijn doorgetrokken naar andere rechtsgebieden. In verschillende uitspraken is beslist dat wanneer argumenten *in beroep* bij de rechtbank niet zijn aangevoerd, deze niet alsnog in hoger beroep aan de orde kunnen worden gesteld.[342] Dit past bij de visie van de Afdeling dat in hoger beroep (slechts) de uitspraak van de rechtbank onderwerp van toetsing is, zoals nader aan de orde zal komen in paragraaf 9.2. Vergelijk op dit punt ook paragraaf 9.5.2.
Alleen wanneer de betreffende argumenten niet eerder hadden kunnen worden aangevoerd, zou dit anders kunnen zijn.[343]

Een belanghebbende maakt bezwaar tegen de verlening van een bouwvergunning voor de bouw van dertien woningen. In bezwaar en in beroep bij de rechtbank wordt aangevoerd dat sprake is van strijd met de eisen van welstand en geluidsoverlast. In hoger beroep wordt hieraan toegevoegd dat het bouwplan in strijd is met het Bouwbesluit en de bouwverordening. De Afdeling overweegt dat *'in dit stadium aan deze stelling voorbij moet worden gegaan.'*[344] Overigens houdt de Afdeling de deur nog op een kiertje open, want zij overweegt ook dat *'de gestelde strijd met Bouwbesluit en/of bouwverordening (...) niet evident [is]'.* Wanneer die strijd wel evident was, had de Afdeling wellicht anders beslist. Overigens is niet nader toegelicht wat onder 'evidente strijd' moet worden verstaan. Strijdigheid waarvoor geen nader onderzoek is vereist? Verder is ook niet duidelijk hoe deze uitspraak zich verhoudt tot de rechtspraak die is besproken in paragraaf 4.8.1: het ruimhartig ambtshalve aanvullen van rechtsgronden in ruimtelijke-ordeningszaken.
Er zijn echter ook uitspraken waarin de Afdeling wél nieuwe argumenten in hoger beroep aanvaardt.[345]

---

341 ABRS 27 augustus 1998, JB 1998, 273 m.nt. R.J.N.S.; vgl. ook ABRS 16 december 1996, AB 1997, 94.
342 ABRS 8 oktober 2003, AB Kort 2003, 663; ABRS 4 november 1999, AB 1999, 279 m.nt. MSV; CRvB 1 juni 1999, AB 1999, 326 m.nt. MSV.
343 Aldus de Afdeling in een uitspraak van 8 oktober 2003, AB Kort 2003, 663. Mij zijn echter geen uitspraken bekend waarin op grond van dit criterium nieuwe argumenten in hoger beroep zijn geaccepteerd.
344 ABRS 13 juli 1999, JB 1999, 200, m.nt. F.A.M.S.
345 Bijv. Vz ABRS 15 mei 1998, BR 1998, p. 845 m.nt. H.J. de Vries; ABRS 4 september 1997, JB 1997, 251 m.nt. R.J.G.H.S. Opgemerkt zij dat het hier om achtereenvolgens een ruimtelijke-ordeningszaak en een dwangsomkwestie ging, waarin – zie par. 4.8.1 en 4.8.2 – de Afdeling ruimhartig rechtsgronden aanvult.

Uit andere uitspraken is af te leiden dat alle argumenten al *in bezwaar* door belanghebbende moeten worden aangevoerd. Bezwaren die niet bekend waren bij het bestuursorgaan ten tijde van het nemen van het besluit op bezwaar, blijven buiten de rechterlijke beoordeling.[346] Voor het beroep op het gelijkheidsbeginsel is echter beslist dat dit ook voor het eerst bij de rechter in eerste aanleg mag worden gedaan.[347]

> Zie bijvoorbeeld de volgende overweging van de ABRS: '*Eerst in hoger beroep heeft appellante de in de berekening betrokken waarde (...) betwist. Daarmee heeft [het bestuursorgaan] evenmin als de rechtbank rekening kunnen houden. Om die reden kunnen ook andere ontwikkelingen die dateren van na het nemen van het bestreden besluit (...) niet in de beoordeling worden betrokken.*'[348]
>
> Het in deze overweging gelegde verband met het feit dat het besluit moet worden beoordeeld naar de omstandigheden zoals die golden ten tijde van het nemen van het bestreden besluit (de 'ex tunc toetsing', zie paragraaf 6.6), is verwarrend. Dat ex tunc moet worden getoetst, staat immers los van de vraag of in hoger beroep nog nieuwe argumenten kunnen worden aangevoerd.

Ook wanneer de Afdeling niet optreedt als appelrechter, maar als rechter in eerste aanleg – zoals in bestemmingsplanzaken – wordt (soms) deze strenge lijn aangehouden. Wel houdt de Afdeling de mogelijkheid open om een uitzondering te maken, indien het niet verwijtbaar is dat een belanghebbende de bezwaren niet eerder heeft aangevoerd.

> Omwonenden komen op tegen een besluit voor het vaststellen van hogere geluidswaarden voor een aantal woningen in verband met de aanleg van de Betuwelijn. Een aantal van hen voert in beroep bij de Afdeling aan dat de besluitvorming niet zorgvuldig is verlopen. Dit argument hadden zij in de bezwaarfase niet aangevoerd. De Afdeling overweegt het volgende: '*Uit het samenstel van de art. 3:2, 7:1 lid 1 en 7:11 lid 1 Awb en uit de geschiedenis van de totstandkoming van deze bepalingen vloeit voort dat in beroep aangevoerde bezwaren die niet hun grondslag vinden in door de betrokken appellanten tegen het primaire besluit ingebrachte bezwaren, geen rol kunnen spelen bij de beoordeling van een beroep. Dit betekent dat bezwaren die verwijtbaar niet in een eerder stadium van de procedure naar voren zijn gebracht, in beroep niet kunnen worden betrokken bij de beoordeling van het bestreden besluit.*'[349]

De aangehaalde overweging is geformuleerd als een principiële stellingname, als een standaardoverweging. Het is dan ook teleurstellend dat niet nader is toegelicht op welke passages uit de wetsgeschiedenis bij de genoemde wetsartikelen – die trouwens geen van

---

346 Vz ABRS 22 december 1994, AB 1995, 274 m.nt. RMvM; ABRS 16 april 2003, AB 2003, 219 m.nt. AvH (JB 2003, 165); ABRS 26 juli 2001, AB 2001, 299 m.nt. Sew. Zie ook ABRS 11 november 1999, JB 2000, 7 m.nt. R.J.N.S. en ABRS 21 september 1998, JB 1998, 241 m.nt. HJS. De laatste twee zaken liggen echter wat anders, omdat het daar ging om het tijdens de beroepsprocedure wijzigen van de grondslag van de aanvraag; in dat geval ligt het m.i. voor de hand dat een nieuwe aanvraag moet worden gedaan.
347 ABRS 15 mei 1997, JB 1997, 154 m.nt. R.J.N.S.
348 ABRS 3 juni 2000, JB 2000, 213.
349 ABRS 25 januari 2001, AB 2001, 171 m.nt. FM.

alle betrekking hebben op de procedure bij de rechter – de Afdeling hier precies doelt. Later heeft de Afdeling in een uitspraak een soepeler criterium geformuleerd. Overwogen is namelijk dat het voldoende is wanneer de beroepsgrond *verband houdt met* datgene wat in de *beslissing op bezwaar* is overwogen.

Zie ABRS 10 september 2003[350], waarin het volgende werd overwogen: '*Noch uit de wet noch uit enig rechtsbeginsel* [maar wel uit de eigen jurisprudentie van de Afdeling, zo komt op bij de lezer – RHdB] *vloeit voort dat gronden die niet expliciet in bezwaar werden aangevoerd, vanwege die enkele omstandigheid buiten de inhoudelijk beoordeling van het beroep zouden moeten blijven. Nu in dit geval de betrokken beroepsgrond direct verband houdt met datgene wat in de beslissing op bezwaar is overwogen, is er geen reden waarom de Afdeling niet mede op grondslag daarvan uitspraak zou kunnen doen.*'
De gronden hoeven dus niet hun grondslag te vinden in de eerdere bedenkingen, maar moeten verband houden met hetgeen is overwogen in de beslissing op bezwaar. Dat is een soepeler benadering.

Het is niet duidelijk of hier sprake is van een nieuwe lijn.[351]
Kortom, over de precieze inhoud van de argumentatieve fuik blijft onduidelijkheid bestaan. Dezelfde onduidelijkheid is er over de bewijsfuik. In sommige uitspraken is overwogen dat in hoger beroep voor het eerst in het geding gebrachte stukken buiten beschouwing blijven omdat zij niet in beroep bij de rechtbank zijn overgelegd.[352] In andere uitspraken stelt de Afdeling dat nieuw ingebrachte stukken buiten beschouwing moeten blijven, omdat zij niet bekend waren bij het bestuursorgaan ten tijde van het nemen van het bestreden besluit. Daaruit volgt dat de stukken in bezwaar hadden moeten worden overgelegd.[353]
Inmiddels is in enkele uitspraken van de Afdeling over besluiten op aanvraag een nog strengere bewijsfuik opgedoken. In deze uitspraken werd beslist dat al bij de *aanvraag*, voorafgaand aan het primaire besluit, alle relevante stukken moeten worden overgelegd. Enige correctie of aanvulling in de bezwaarfase is in beginsel niet mogelijk.[354]

Bij besluiten op aanvraag moet een onderscheid worden gemaakt tussen het *buiten behandeling stellen* van een aanvraag wegens onvolledigheid van de aanvraag op de

---

350   ABRS 10 september 2003, AB 2004, 4 m.nt. RW.

351   Widdershoven plaatst de uitspraak, blijkens zijn noot in AB 2004, 4, 'in een trend waarbij de Afdeling langzaam maar zeker de scherpe kanten van haar fuikenrechtspraak afhaalt, althans voor wat betreft de overgang van de bestuurlijke fase naar de eerste aanleg.' Uit de uitspraak blijkt echter niet expliciet dat de Afdeling een nieuwe weg wil inslaan.

352   ABRS 11 april 2000, AB 2000, 244 m.nt. MSV; ABRS 3 april 2000, AB 2000, 222 m.nt. MSV (JB 2000, 122); ABRS 11 juni 1999, AB 1999, 326 m.nt. MSV.

353   ABRS 13 februari 2002, AB 2002, 123 m.nt. NV; ABRS 1 juni 2001, AB 2002, 406 m.nt. AMLJ; ABRS 20 februari 2001, AB 2002, 29 m.nt. NV; ABRS 11 april 2000, AB 2000, 244 m.nt. MSV; ABRS 28 juni 1999, AB 1999, 360 m.nt. MSV (JB 1999, 197 m.nt. R.J.N.S.); ABRS 15 oktober 1998, JB 1998, 278 m.nt. R.J.N.S.; ABRS 9 april 1992, AB 1992, 583 m.nt. RMvM (pre-Awb).

354   ABRS 23 juli 2003, AB 2003, 448 m.nt. BJS (JB 2003, 258); ABRS 26 september 2000, JB 2000, 321. Zie over deze uitspraak ook L.J.A. Damen, Heb je een adviseur nodig voor het aanvragen van een subsidie voor een extern advies? in: *Ars Aequi* (2002) p. 31-39. Overigens kan het in bepaalde gevallen redelijk zijn wanneer bij een aanvraag direct alle relevante stukken moeten zijn bijgevoegd, zie hierover N. Verheij, Tussen toen en nu. Het relevante tijdstip voor besluitvorming in bezwaar en toetsing in beroep, in: *JB-plus* (2003) p. 26-47, p. 31.

voet van art. 4:5 Awb, en het *afwijzen* van een aanvraag omdat op basis van de ver-
schafte gegevens betrokkene niet aan de voorwaarden van de betreffende regeling
voldoet. In het eerste geval is het, gelet op de in de wet gegeven vereenvoudigde
wijze van afdoening, aanvaardbaar dat herstel in de bezwaarfase niet mogelijk is, mits
uiteraard het bestuursorgaan de aanvrager de voorgeschreven mogelijkheid tot aanvulling van de aanvraag heeft gegeven.[355] In het tweede geval, waarin sprake is van
een afwijzende beslissing, is niet duidelijk waarom herstel of aanvulling in de
bezwaarfase niet mogelijk zou zijn. Het College van Beroep voor het bedrijfsleven
lijkt deze lijn niet te volgen.[356]
Zie ook uitdrukkelijk anders een uitspraak van de Afdeling voor het vreemdelingenrecht.[357]

De Afdeling bestuursrechtspraak heeft het trechtermodel doorbroken in een situatie
waarin – voor het eerst in beroep – een beroep werd gedaan op rechtsnormen uit het
EG-recht.[358]

> De Afdeling motiveert dit aldus: '*De Afdeling constateert dat appellante de beroepsgrond
> inzake de toepasselijkheid van de IPPC-richtlijn niet in haar bedenkingen heeft aangevoerd.
> Zij is echter van oordeel dat dit niet in de weg staat aan beoordeling daarvan, nu het hier gaat
> om mogelijk rechtstreeks werkende bepalingen van Europees recht waarvan de handhaving door
> de nationale rechter moet worden verzekerd en de afwijzing van die beoordeling ertoe zou kun-
> nen leiden dat het gemeenschappelijke effectiviteitsbeginsel wordt geschonden.*' Zie over de
> toetsing aan rechtstreeks werkende regels van EG-recht ook paragraaf 4.8.3.

Zoals al aan de orde kwam, geldt het trechtermodel waarschijnlijk ook niet voor de
toetsing van besluiten waarin een bestraffende sanctie is opgelegd. Zie ook paragraaf
4.8.2. Ook in andere gevallen accepteert de Afdeling soms wel nieuwe stukken in hoger
beroep.[359]
Al met al staat de precieze inhoud van het trechtermodel nog steeds niet vast.

8.4 Rechtspraak Centrale Raad van Beroep: geen trechtermodel

We zagen dat de Centrale Raad van Beroep in de meeste gevallen in beginsel het gehele besluit toetst en zich niet beperkt tot de aangevochten onderdelen. Alleen wanneer
de belanghebbende dat expliciet wenst of in bijzondere gevallen, wordt de toetsing
beperkt tot bepaalde onderdelen van het besluit.

---

355 ABRS 4 januari 2001, JB 2001, 36 m.nt. E.J. de Lange-Bekker.
356 CBB 1 oktober 2002, AB Kort 2002, 807.
357 ABRS 3 september 2003, AB 2003, 389 m.nt. Sew.
358 ABRS 20 augustus 2003, AB 2003, 391 m.nt. RW.
359 ABRS 14 december 2000, JB 2001, 15 m.nt. R.J.N.S.; ABRS 9 mei 2000, JB 2000, 179.

In deze benadering heeft het trechtermodel weinig betekenis. In elke volgende fase van de toetsing geldt dat in beginsel het gehele besluit wordt getoetst. Van een doorwerking van beperkingen naar een volgende instantie is dan geen sprake.[360]

> Een belanghebbende ontvangt een bijstandsuitkering. Deze wordt door B&W beëindigd, omdat betrokkene over te veel vermogen zou beschikken. De rechtbank laat bij haar toetsing het argument van betrokkene, dat ten onrechte bepaalde schulden niet in aanmerking zijn genomen, buiten beschouwing *'omdat tijdens de bezwarenprocedure (...) deze grief niet naar voren is gebracht.'* De Centrale Raad is het niet eens met deze constatering, en voegt daar in zijn algemeenheid aan toe dat *'de grief rechtstreeks verband houdt met de vermogensvaststelling per 1 april 1997 en de daartegen reeds ingebrachte bezwaren'*, zodat om die reden de grief niet als 'tardief' kan worden aangemerkt.[361]

Ook is het in de regel[362] geen probleem wanneer in hoger beroep nieuwe argumenten worden aangevoerd.

> In hoger beroep beroept een belanghebbende zich voor het eerst op het gelijkheidsbeginsel, wat volgens het bestuursorgaan in strijd met de goede procesorde zou zijn. De Centrale Raad overweegt het volgende: *'De Raad is van oordeel dat, wanneer een belanghebbende een grief tijdig kenbaar maakt aan de Raad en de gedaagde partij in de gelegenheid is geweest gemotiveerd op die grief te reageren, geen geschreven of ongeschreven rechtsregel aan beoordeling van die grief in de weg staat. Niet is gebleken dat appellant met het aanvoeren van deze grief buiten de grenzen van het geschil is getreden of in een eerdere fase van de procedure welbewust ervan heeft afgezien bepaalde (mogelijke) gebreken van het bestreden besluit aan de orde te stellen.'*[363]

Alleen wanneer een belanghebbende in een eerdere fase van de procedure *welbewust* heeft afgezien van het aan de orde stellen van bepaalde argumenten, kan er dus aanleiding zijn om later opgeworpen argumenten buiten beschouwing te laten.

> Zie in deze zin ook de volgende overweging: *'Evenmin is gebleken dat appellant in een eerdere fase er welbewust van heeft afgezien bepaalde (mogelijke) gebreken aan het bestreden besluit aan de orde te stellen.'*[364]

---

360 CRvB 6 mei 1999, RSV 1999, 218. Wat ingewikkeld geformuleerd zegt de Centrale Raad hier dat *het gehele besluit* onderwerp van de toetsing in beroep (en hoger beroep) is. Daarmee vallen ook onderdelen van de motivering van het besluit die in bezwaar niet zijn aangevochten, binnen de reikwijdte van de toetsing in beroep (en hoger beroep).

361 CRvB 2 januari 2001, JABW 2001, 55. Vgl. ook CRvB 11 juli 2000, AB Kort 2000, 603. Om onduidelijke redenen anders: CRvB 4 maart 1999, RSV 1999, 172.

362 Anders: CRvB 9 juli 1998, TAR 1998, 167; CRvB 22 februari 1996, TAR 1997, 76.

363 CRvB 29 januari 2002, JB 2002, 100 m.nt. C.L.G.F.H.A. Idem CRvB 20 juli 2001, *NJB*-katern 2001, 21; CRvB 14 oktober 1999, JB 1999, 303 m.nt. H.J.L. (AB Kort 1999, 579); CRvB 6 mei 1999, RSV 1999, 218; CRvB 16 oktober 1998, AB 1999, 48; CRvB 7 augustus 1997, AB 1997, 376 m.nt. HH.

364 CRvB 14 oktober 1999, JB 1999, 303 m.nt. H.J.L. (TAR 1999, 155). Vergelijk CRvB 23 juni 2000, JB 2000, 233; CRvB 16 april 1998, TAR 1998, 116.

In beginsel staat het een belanghebbende echter vrij in alle fasen van de procedure met alle mogelijke argumenten de onderliggende motivering aan te vechten. Van een beperking van de beroepsfase tot die onderdelen van het besluit die in bezwaar zijn aangevochten, wil de Raad niet weten.

Ook in het belastingrecht wordt geen trechtermodel gehanteerd. Derhalve kan een belanghebbende in beroep (thans nog bij het gerechtshof) argumenten aanvoeren die in bezwaar niet naar voren zijn gebracht.[365]

Ook van een bewijsfuik is bij de Centrale Raad van Beroep geen sprake. Nieuwe bewijsstukken in hoger beroep worden – binnen de grenzen van een goede procesorde – altijd geaccepteerd.[366] De Centrale Raad verwerpt uitdrukkelijk het standpunt dat slechts bewijsstukken in het geding mogen worden gebracht, voor zover deze ten tijde van het nemen van het bestreden besluit bekend waren bij het bestuursorgaan.

Een belanghebbende moet voor een bepaalde datum bij de toenmalige bedrijfsvereniging jaarstukken inleveren op grond waarvan kan worden vastgesteld of, gelet op de hoogte van zijn jaarinkomen, zijn arbeidsongeschiktheidsuitkering tot uitbetaling kan komen. Hij verzuimt dit tijdig te doen, waarna de bedrijfsvereniging zijn uitkering op nihil stelt en reeds betaalde bedragen terugvordert. In beroep bij de rechtbank legt betrokkene alsnog de jaarstukken over. De rechtbank legt deze terzijde, omdat die stukken niet bekend konden zijn bij het bestuursorgaan ten tijde van het nemen van het bestreden besluit. De Centrale Raad is het niet eens met deze redenering: '*De Raad kan zich met deze zienswijze op de omvang van het geding niet verenigen, nu het partijen vrij staat hun stellingen met betrekking tot de juistheid van de feiten waarvan bij het nemen van een beslissing als de onderhavige dient te worden uitgegaan, tijdens de behandeling van het beroep, of hoger beroep, nader te staven met later opgekomen bewijsmiddelen.*'[367]

Het in een heel laat stadium in het geding brengen van de juiste informatie kan wel tot gevolg hebben dat betrokkene geen proceskostenveroordeling krijgt.[368]

8.5 Voordelen en nadelen van het trechtermodel

Uit het gebruik van de metafoor van de fuik of trechter blijkt wel dat het trechtermodel in de bestuursrechtelijke literatuur in het algemeen negatief wordt gewaardeerd. Toch zijn er ook wel *voordelen* te bedenken.[369]

---

365 Zie o.a. J.W. van den Berge, Het object van appel in belastingzaken, in: R.H. Happé e.a. (red.) *Hoger beroep in de steigers*, Den Haag 2003, p. 89-94; E.B. Pechler, *Belastingprocesrecht*, Deventer 2003, p. 206.
366 CRvB 20 augustus 2003, AB 2004, 13 m.nt. HBr; CRvB 16 juli 1996, AB 1996, 488.
367 CRvB 23 juli 1996, RSV 1997, 17.
368 CRvB 28 oktober 1997, AB 1998, 14 m.nt. FP.
369 De belangrijkste verdediging van het trechtermodel is te vinden bij E.J. Daalder, M. Schreuder-Vlasblom, Balanceren boven nul. De vaststelling van de feiten in het bestuursprocesrecht, in: *NTB* (2000), p. 214-221.

Dat is in de eerste plaats dat het trechtermodel de Afdeling bestuursrechtspraak veel *werkbesparing* oplevert. Veel wat in (hoger) beroep naar voren wordt gebracht, kan immers op grond van een formele (standaard-)overweging buiten beschouwing worden gelaten. Het spreekt vanzelf dat dit minder werklast met zich meebrengt.

Een tweede argument is dat partijen zo gedwongen worden efficiënt te procederen. Voorkomen wordt dat in een laat stadium van de procedure – bijvoorbeeld pas in hoger beroep – onderdelen van het besluit worden bestreden, waarover eerst niet was geklaagd. Dat zou tijdsverlies met zich kunnen meebrengen, als nader onderzoek nodig is. Dit argument verwijst in feite naar *de eisen van een goede procesorde*. Een tegenargument is dat dat niet opgaat als een partij – zoals zo veel particulieren – slechts éénmaal een procedure voert, zodat er geen 'leereffect' kan optreden.

Een volgend argument is dat het onbeperkt toestaan van nieuwe argumenten in de loop van de procedure, tekort doet aan de positie van *derde-belanghebbenden*. Zo'n derde-belanghebbende zou onredelijk kunnen worden benadeeld wanneer hij in een laat stadium van de procedure plotseling wordt geconfronteerd met nieuwe bezwaren.

Neem het voorbeeld dat omwonenden bezwaar instellen tegen het besluit om vergunning te verlenen voor de bouw van een hotel. De bezwaren spitsen zich toe op de parkeeroverlast die het hotel voor de buurt zou betekenen. De vergunninghouder (derde-belanghebbende) verweert zich in de procedure tegen dit argument en belooft zelfs voor minstens honderd parkeerplaatsen te zorgen. In beroep wordt voor het eerst aangevoerd dat het bouwplan in strijd is met de bouwverordening, omdat de rooilijnen overschreden worden. De vergunninghouder, die dacht de omwonenden tevreden te hebben gesteld, voelt zich behoorlijk bekocht.[370]

Hier is echter tegen in te brengen dat de betrokkenheid van belangen van derden het juist minder gewenst maakt dat een beroep gegrond of ongegrond wordt verklaard, afhankelijk van de min of meer toevallige omstandigheid dat alle relevante argumenten vanaf de bezwaarfase naar voren zijn gebracht.

Het laatste, meest principiële, argument is dat het bestuursorgaan met argumenten die in bezwaar niet zijn aangevoerd, geen rekening heeft kunnen houden bij het nemen van het bestreden besluit. Het zou dan onjuist zijn om die bezwaren wel mee te nemen bij de rechterlijke toets. De gedachte hierbij is dat de fixerende werking van het besluit – zoals dat in hoofdstuk 2 aan de orde kwam – óók betekent dat na het nemen van dat besluit op bezwaar, geen wezenlijk andere elementen aan de orde mogen worden gesteld. Dat gaat het bereik van de bestuursrechtelijke toetsing te buiten; de rechter zou dan in feite de taak van het bestuursorgaan overnemen.

Stel dat bezwaar wordt gemaakt tegen een bouwvergunning voor een garagebedrijf. Het bezwaar is uitsluitend gericht tegen de overlast die de garagebedrijf zal veroorzaken voor de omgeving. In beroep wordt voor het eerst aangevoerd dat het bouw-

---

370 B.J. Schueler spreekt in dit verband over een 'goede fuik'. Zie zijn oratie: *Het zand in de machine. Over de noodzaak tot beperking van de rechtsbescherming*, Deventer 2003, p. 25.

werk in strijd is met de eisen van welstand. De rechter zou zich nu voor het eerst over dit bezwaar moeten buigen, terwijl het bij uitstek een onderwerp is waarover het bestuursorgaan zich een mening moet vormen.

De *bezwaren* tegen het trechtermodel zijn vooral de volgende.

In talloze artikelen en annotaties is kritisch geschreven over het door de Afdeling gebruikte trechtermodel.[371] Belangrijk is dat ook de onderzoeksgroep die het hoger beroep onder de Awb heeft geëvalueerd, de bezwaren grotendeels onderschrijft en om die reden pleit voor afschaffing van het trechtermodel.[372] De Commissie Boukema heeft de aanbevelingen overgenomen (vergelijk paragraaf 9.5).[373]

Het grootste bezwaar is wel dat argumenten die indien zij bij de beoordeling zouden worden betrokken tot vernietiging van het bestreden besluit zouden leiden, buiten de omvang van de rechterlijke toetsing vallen. In feite betekent dit dat welbewust wordt geaccepteerd dat onrechtmatige besluiten de toetsing door de rechter overleven.
Verder berust het trechtermodel op een zeer *formalistische* benadering. Om formele redenen worden argumenten die misschien tot vernietiging van het bestreden besluit hadden kunnen leiden, buiten beschouwing gelaten. Schlössels heeft het in dit verband over 'juridische muggenzifterij'.[374] Het belang van een inhoudelijke toetsing van het bestreden besluit wordt ondergeschikt gemaakt aan (vermeende) formele eisen aan de procesvoering.
Die formele eisen worden ook ondergeschikt gemaakt aan het belang van *materiële waarheidsvinding*. De betekenis van waarheidsvinding voor het bestuursrecht kwam al aan de orde in paragraaf 6.2. Wanneer bepaalde argumenten niet meer aan de orde kunnen worden gesteld omdat zij in een eerdere fase niet zijn aangevoerd, vergroot dit immers de kans dat de rechter uitspraak doet op basis van een onjuiste vaststelling van de feiten en zo een onrechtmatig besluit in stand laat.
Ook het bieden van *ongelijkheidscompensatie* door de rechter wordt in het trechtermodel uitgehold. Je zou zelfs kunnen zeggen dat de ongelijkheid tussen burger en bestuur vergroot wordt: de burger kan geen nieuwe beroepsprocedure beginnen om zijn argumenten nog eens aan te scherpen, terwijl het bestuursorgaan in beginsel wél steeds de mogelijkheid heeft om een nieuw besluit te nemen.

---

371 Zie o.a. A.T. Marseille, Hoe bezwaren tegen een besluit de beroepsprocedure kunnen overleven, in: *JB-plus* (2001) p. 67-75; F.A.M. Stroink, R.J.G.M. Widdershoven, Hoger beroep in het bestuursrecht (deel I), Herkansing of trechter?, in: *JB-plus* (2001) p. 163-174; R.J.N. Schlössels, Tussen finaliteit en fuik? Over de omvang van het bestuursrechtelijke geding in eerste aanleg en appel, in: M.A. Heldeweg (red.), *Uit de school geklapt? Opstellen uit Maastricht*, Den Haag 1999, p. 177-203; R.H. de Bock, Hoger beroep in het bestuursrecht: herkansing, afvalrace, of roulette?, in: *NJB* (1999) p. 1148-1156; B.W.N. de Waard, Nieuwe ronde, nieuwe kansen?, in: L.J.A. Damen e.a. (red.), *Rechtspraak bestuursrecht 1997-1998, De annotaties*, Den Haag 1999, p. 37-54.
372 R.J.G.M. Widdershoven e.a., *Algemeen bestuursrecht 2001: hoger beroep*, Den Haag 2001, m.n. p. 222-225, aanbeveling c op p. 230.
373 Commissie Evaluatie Awb II, *Algemeen bestuursrecht 2001: toepassing en effecten van de Algemene wet bestuursrecht 1997-2001*, Den Haag 2002, p. 36.
374 R.J.N. Schlössels, noot bij ABRS 27 augustus 1998, JB 1998, 273.

Een ander nadeel van het trechtermodel is dat het zwaartepunt van de bestuursrechte-lijke procedure steeds meer wordt verlegd naar de *bezwarenprocedure*. Dit heeft tot gevolg dat deze meer gejuridiseerd wordt. Dit past echter slecht in het informele karakter van de bezwaarfase, waar burger en bestuur op informele wijze tot een oplossing zouden moeten zien te komen. Bovendien is te verdedigen dat sprake is van strijd met art. 6 EVRM, wanneer als eis wordt gesteld dat een argument in de bezwaarfase – dus vóór de aanvang van de rechterlijke procedure – al moet zijn aangevoerd. Daarmee wordt immers de toegang tot de rechter beperkt.[375]

Gevolg van het trechtermodel is dat de burger eigenlijk niet meer zonder *procesgemach-tigde* kan. Vanaf het begin van de procedure is immers deskundigheid en grote precisie vereist bij de formulering van de argumenten tegen het bestreden besluit. Indien een bepaald argument wordt vergeten, kan dit later niet meer worden hersteld. Waar in het bestuursrecht echter geen sprake is van verplichte procesvertegenwoordiging, is het de vraag of op deze wijze niet te veel eisen worden gesteld aan belanghebbende.

Last but not least is van belang dat voor het trechtermodel elke wettelijke basis ontbreekt. Ook in de wetsgeschiedenis van de Awb zijn geen aanknopingspunten voor toepassing van deze werkwijze te vinden.

8.6 Samenvatting

De reikwijdte en de inhoud van de toetsing worden in de rechtspraak van de Afdeling bestuursrechtspraak nader beperkt door toepassing van het trechtermodel. Dit model houdt in, kort gezegd, dat de toetsing in beroep en hoger beroep beperkt wordt door hetgeen is aangevoerd in de daaraan voorafgaande fase. Wat eerder níet is aangevoerd, blijft daarna bui-ten beschouwing. Het trechtermodel wordt zowel toegepast op nieuw aangevoerde argu-menten (de argumentatieve fuik) als op nieuw aangevoerde stukken (de bewijsfuik).

De jurisprudentie van de Afdeling geeft geen uitsluitsel over de precieze inhoud van het trechtermodel. Soms wordt gesteld dat argumenten (gronden) of stukken waarover de rechtbank zich niet heeft kunnen uitlaten, buiten beschouwing moeten blijven in hoger beroep. Soms wordt overwogen dat argumenten of stukken die niet voorafgaand aan het bestreden besluit zijn aangevoerd of overgelegd, in beroep buiten beschouwing moeten blijven. In enkele uitspraken wordt zelfs aangenomen dat stukken die na het primaire besluit zijn overgelegd, buiten beschouwing moeten blijven.

In de rechtspraak van de Centrale Raad van Beroep is geen sprake van een trechter-model. De Raad accepteert in beginsel – binnen de grenzen van de goede procesorde – dat in (hoger) beroep nieuwe argumenten worden aangevoerd of nieuwe stukken in het geding worden gebracht. De rechtspraak van de Centrale Raad en de Afdeling lopen hier dus uiteen.

In de literatuur is veel kritiek uitgeoefend op het trechtermodel.

---

375 De Afdeling heeft dit bezwaar verworpen, ABRS 27 augustus 1998, JB 1998, 273, m.nt. R.J.N.S. Voor
      procedures waarin de toetsing van een bestraffende sanctie aan de orde is, heeft het wel betekenis, ver-
      gelijk paragraaf 4.8.2 en 6.8.1.

HOOFDSTUK 9

De omvang van de toetsing in hoger beroep

9.1 Inleiding

De toetsing in hoger beroep verdient afzonderlijke bespreking, omdat in het hoger beroep een aantal specifieke vragen aan de orde is. Een daarvan is of partijen in hoger beroep een volledige herkansing hebben ten opzichte van de procedure in eerste aanleg. Bij de beantwoording van die vraag is van belang dat in hoger beroep de vaste rolverdeling tussen een belanghebbende ('eiser') en het bestuursorgaan ('verweerder') anders kan zijn dan in bezwaar of beroep. In hoger beroep kan immers ook het bestuursorgaan de eisende partij zijn.

Voordat de vraag naar de reikwijdte van de toetsing voor het hoger beroep kan worden beantwoord, moet eerst een daaraan voorafgaande vraag worden beantwoord. Die vraag is: *wat* wordt er in hoger beroep eigenlijk getoetst? Anders gezegd: wat is het *object* van de toetsing? Uit de rechtspraak blijkt dat de appelcolleges hierop een verschillende visie hebben. Voorts zullen de devolutieve werking van het hoger beroep en het incidenteel appel aan de orde komen.

9.2 Onderwerp van het hoger beroep

Over de vraag wat het onderwerp (het voorwerp of het object) van de toetsing is in hoger beroep, over wát er eigenlijk in hoger beroep getoetst wordt, bestaat geen overeenstemming in de literatuur en rechtspraak. Sommigen zijn van mening dat het de uitspraak van de rechtbank is die in hoger beroep wordt getoetst. Volgens anderen is het het bestreden besluit dat in hoger beroep moet worden beoordeeld.[376]

In de *wet* is bepaald dat het hoger beroep zich richt tegen een *uitspraak van de rechtbank*.[377] Het feit dat het hoger beroep is gericht tegen een uitspraak van de rechtbank, betekent echter nog niet dat het ook die uitspraak is die in hoger beroep ter toetsing voorligt. In de wetsgeschiedenis van de Awb is hierover het volgende te lezen:

> 'Het hoger beroep wordt ingeleid door een gemotiveerd beroepschrift (zie art. 6.2.0 a van de Awb). Het is weliswaar gericht tegen de bestreden uitspraak van de rechtbank, maar ook in hoger beroep staat centraal of het in eerste aanleg bestreden besluit al dan niet rechtmatig is. (...)'[378]

---

376 Zie voor een overzicht van de verschillende opvattingen het evaluatierapport over het hoger beroep: R.J.G.M. Widdershoven e.a., *Algemeen bestuursrecht 2001: hoger beroep*, Den Haag 2001, p. 50 e.v.

377 Zie voor het hoger beroep bij de Afdeling bestuursrechtspraak art. 37 lid 1 Wet RvS; voor het hoger beroep bij de Centrale Raad van Beroep art. 18 lid 1 Beroepswet en voor het College van Beroep voor het bedrijfsleven art. 20 lid 1 Wbbo.

378 PG Awb II, p. 546 (MvT).

Hieruit is af te leiden dat, in de gedachtegang van de wetgever, *voorwaarde* voor de toegang tot het hoger beroep de uitspraak van de rechtbank is. Maar het *onderwerp* van de toetsing in hoger beroep is, net als in eerste aanleg bij de rechtbank, het bestreden besluit.
De jurisprudentie van de Centrale Raad van Beroep is in overeenstemming met dit uitgangspunt van de wetgever. Ook de Centrale Raad merkt als object van het hoger beroep aan: het bestreden besluit. Dat is het besluit op bezwaar, precies zoals dat ook in eerste aanleg door de rechtbank werd beoordeeld.

> Deze benadering van de Centrale Raad blijkt uit de in zijn jurisprudentie vaak voorkomende overweging, dat *'in appel de vraag centraal staat of het in primo bestreden besluit in rechte stand kan houden.'*

Dat wil overigens niet zeggen dat de Centrale Raad van Beroep in het geheel geen acht slaat op de uitspraak van de rechtbank. Bij de vraag naar de *reikwijdte* van het hoger beroep, speelt die uitspraak wel degelijk een rol. Dit zal hierna aan de orde komen bij paragraaf 9.4.

> Het is denkbaar dat een belanghebbende in hoger beroep uitsluitend een bepaalde beslissing van de rechtbank wil voorleggen aan de appelrechter, bijvoorbeeld het achterwege blijven van een kostenveroordeling ten laste van het bestuursorgaan. In dat geval speelt het bestreden besluit verder geen rol bij de toetsing in hoger beroep.[379]

De Afdeling bestuursrechtspraak vaart een andere koers. De Afdeling beschouwt de uitspraak van de rechtbank in eerste aanleg als onderwerp van het hoger beroep.

> Dit blijkt al uit de kop van de uitspraken van de Afdeling, waarin is vermeld *'A. te B., appellant, tegen de uitspraak van de rechtbank te .. van Y, in het geding tussen: appellant en [naam wederpartij in eerste aanleg].'*
> Zie ook de door de Afdeling vaak gebruikte (standaard)formulering: *'De Afdeling stelt voorop dat in hoger beroep de uitspraak van de rechtbank ter toets staat.'*[380]

De Afdeling beoordeelt dus of de uitspraak van de rechtbank juist is.

> In het Evaluatierapport van het hoger beroep spreken de onderzoekers een duidelijke voorkeur uit voor de werkwijze van de Afdeling[381]: *'Voorop wordt gesteld dat wij ons op zich kunnen vinden in de opvatting van de Afdeling dat de uitspraak in eerste aanleg het primaire object van geding in appel is. Deze opvatting sluit aan bij de tekst van de wettelijke appelbepalingen, doet recht aan het gegeven dat er al een rechterlijke uitspraak over het besluit ligt, en draagt aldus bij aan het gezag hiervan en bevordert het expliciete debat tussen de recht-*

379   CRvB 20 december 1994, JABW 1995, 190.
380   Bijv. ABRS 3 april 2000, JB 2000, 122.
381   R.J.G.M. Widdershoven e.a., *Algemeen bestuursrecht 2001: hoger beroep*, Den Haag 2001, p. 226.

bank en de appelinstantie, hetgeen bijdraagt aan de kwaliteit van de rechtspraak en de rechts-ontwikkeling.' Verder wordt aangevoerd dat *'ook in het civiele appel het object van geding uiteraard de uitspraak in eerste aanleg [is].'* De Commissie Boukema – die aan de ministers rapport heeft uitgebracht – heeft het standpunt van de onderzoekers overgenomen als aanbeveling.[382]

De argumenten van de onderzoekers zijn niet overtuigend. Onjuist is in ieder geval de stelling dat in het civiele appel de uitspraak in eerste aanleg het object van geding in hoger beroep is. Ook is niet duidelijk waarom aldus het debat tussen rechtbank en appelinstantie zou worden bevorderd. Dat laatste – dat toch nooit een primaire doelstelling van het hoger beroep kan zijn – hangt veel meer af van de wijze en kwaliteit van motiveren door de appelinstantie.

Ook voor het toekomstige belastingprocesrecht, waar twee feitelijke instanties zullen worden ingevoerd, is bepleit dat het besluit onderwerp is van de toetsing in hoger beroep.[383]

De verschillen in de wijze van toetsing in hoger beroep tussen de Centrale Raad en de Afdeling bestuursrechtspraak, die hierna nog aan de orde zullen komen, zijn voor een deel terug te voeren op dit onderscheid in object van toetsing.

9.3 Doorwerking grenzen besluit

Het spreekt vanzelf dat de grenzen van het besluit die al in bezwaar en in beroep de buitengrenzen van de toetsing bepaalden, ook in hoger beroep doorwerken. Dat betekent dat ook in hoger beroep geen bezwaren kunnen worden aangevoerd tegen kwesties die buiten de grenzen van het oorspronkelijke besluit vallen.

Verder brengt de systematiek van de wettelijke bepalingen met zich mee dat wanneer een belanghebbende tegen een besluit geen bezwaar en beroep instelt, voor hem ook geen hoger beroep openstaat.

> De systematiek is, beknopt weergegeven, de volgende: hoger beroep staat open tegen een uitspraak van de rechtbank; beroep bij de rechtbank staat open tegen een besluit (art. 8:1 lid 1 Awb), terwijl alvorens beroep in te stellen eerst bezwaar moet worden gemaakt (art. 7:1 lid 1 Awb).
>
> Een uitzondering wordt gemaakt voor de derde-belanghebbende, tenzij hem redelijkerwijs kan worden verweten geen bezwaar respectievelijk beroep te hebben ingesteld (art. 6:13 en 6:24 Awb).

Dat betekent dat het niet mogelijk is om in hoger beroep bezwaren aan te voeren tegen een besluit waartegen geen bezwaar en beroep is ingesteld.

---

382 Commissie Evaluatie Abw II, *Algemeen bestuursrecht 2001: toepassing en effecten van de Algemene wet bestuursrecht 1997-2001*, Den Haag 2002, p. 34 en 36.

383 J.W. van den Berge, Het object van appel in belastingzaken, in: R.H. Happé e.a. (red.), *Hoger beroep in de steigers*, Den Haag 2003, p. 89-99.

Zo is het niet mogelijk om voor het eerst in hoger beroep bezwaren kenbaar te maken tegen het feit dat te laat beslist is op het bezwaar.[384] De door de Centrale Raad gebruikte overweging dat '[de Raad] *de terzake van die beslissingen (...) naar voren gebrachte grieven (...) als tardief aanmerkt'*, is echter niet zuiver. Het gaat er niet om dat de grieven 'tardief' zijn, maar dat tegen het fictieve weigeringsbesluit – dat op grond van art. 6:2 Awb gelijk moet worden gesteld met een besluit – geen bezwaar en beroep is ingesteld. Hoger beroep is dan ook niet mogelijk.

De buitengrenzen van het hoger beroep worden dus, evenals in bezwaar en beroep, getrokken door het bestreden besluit.

9.4 Beperking tot bestreden onderdelen

Ook voor het hoger beroep geldt als uitgangspunt dat de toetsing zich dient te beperken tot de door de belanghebbende aangevochten onderdelen van het besluit (vergelijk hoofdstuk 3).

> Zie hierover de wetsgeschiedenis: *'De omvang van het geschil wordt ook in hoger beroep bepaald door partijen. Binnen het aldus begrensde geschil vult de appelrechter ambtshalve de rechtsgronden aan en kan hij de feiten aanvullen.'*[385]

Aan de hand van het beroepschrift in hoger beroep – het appelschrift – moet worden nagegaan waartegen het hoger beroep zich precies richt.

> Vergelijk ook de tekst van art. 8:69 lid 1 Awb, dat ook van toepassing is in hoger beroep (zie paragraaf 1.1): *'De rechter doet uitspraak op de grondslag van het beroepschrift .(...)'*

Evenals in de beroepsfase is de eventuele *vordering* in het appelschrift hierbij een hulpmiddel (vergelijk paragraaf 3.5).

Verder geldt, net als in de beroepsfase, dat de rechter actief moet nagaan of tegen onderdelen van het besluit waarover in het appelschrift niet wordt gerept, inderdaad geen bezwaren bestaan. Wanneer op de zitting blijkt dat ook tegen andere onderdelen bezwaar bestaat, moeten deze bij de toetsing worden betrokken.

> De realiteit is dat de appelrechter lang niet altijd accepteert dat ter zitting nog nieuwe elementen worden toegevoegd. Dit wordt in strijd met een goede procesorde geacht. Zie al paragraaf 7.4.
>
> In de situatie waarin appellant in zijn appelschrift nadrukkelijk aangeeft dat zijn hoger beroep zich slechts richt tegen een gedeelte van de aangevallen uitspraak dan

---

384 CRvB 17 september 1996, RSV 1997, 61.
385 PG Awb II, p. 546 (MvT).

wel van het bestreden besluit, is begrijpelijk dat de rechter niet accepteert dat hij daarop op de zitting terugkomt en alsnog andere aspecten aan de orde stelt.[386]

Omdat de appelcolleges niet een gelijk standpunt hebben over wat het onderwerp van het hoger beroep is (zie paragraaf 9.2), werkt de afbakening van de reikwijdte van de toetsing verschillend uit.

In de werkwijze van de Centrale Raad van Beroep wordt nagegaan *welke onderdelen van het bestreden besluit* in hoger beroep worden bestreden. Hierbij is ook het *samenhang- of verwevenheidscriterium* weer van belang (vergelijk paragraaf 3.8). Indien tussen de onderdelen van het bestreden besluit een zodanige samenhang bestaat, dat deze niet los van elkaar kunnen worden gezien, wordt het gehele besluit getoetst. In dat geval wordt de toetsing dus – ook in hoger beroep – niet beperkt tot de aangevochten onderdelen.

Zo geldt ook in hoger beroep dat bij arbeidsongeschiktheidszaken in beginsel zowel het medische als het arbeidskundige aspect van het besluit wordt getoetst, ook wanneer de bezwaren van belanghebbende zich slechts tegen een van deze aspecten richten.

Wanneer het samenhangcriterium niet kan worden toegepast, is de toetsing in hoger beroep beperkt tot de aangevochten onderdelen van het besluit. Dus als uit het appelschrift blijkt dat appellant zich er bij neerlegt dat hij op bepaalde punten in het ongelijk is gesteld door de rechtbank, zijn die punten geen onderwerp van de toetsing in hoger beroep.

Hieruit blijkt dat ook in de werkwijze van de Centrale Raad de uitspraak van de rechtbank wel degelijk van belang is bij de afbakening van de omvang van het geding. Die afbakening vindt mede plaats aan de hand van de uitspraak van de rechtbank.

Als in het appelschrift niet expliciet is aangegeven tegen welke onderdelen van het besluit in hoger beroep nog bezwaren bestaan, zal de appelrechter dienen na te gaan waartegen de bezwaren van betrokkene zich precies richten.

De uitwerking hiervan in de praktijk is niet altijd gelijk. Doorgaans zal de rechter alleen wanneer belanghebbende expliciet aangeeft tegen bepaalde onderdelen van het besluit geen bezwaren (meer) te hebben, deze buiten beschouwing te laten. Vergelijk ook paragraaf 8.4, waarin naar voren kwam dat alleen wanneer belanghebbende *welbewust* bepaalde argumenten niet naar voren heeft gebracht, dit aanleiding is om die argumenten in een latere fase van het proces niet alsnog bij de toetsing te betrekken. Ook kan van belang zijn of betrokkene al dan niet met een gemachtigde procedeert; als dat het geval is, zal de rechter sneller onderdelen van het besluit die in het appelschrift niet aan de orde zijn gesteld, laten rusten.

Bij de Afdeling bestuursrechtspraak is daarentegen bepalend *welke onderdelen van de uitspraak van de rechtbank* in hoger beroep worden bestreden. Wanneer in het hoger

---

386 CRvB 16 april 1998, TAR 1998, 116.

beroepschrift bepaalde onderdelen van die uitspraak niet meer ter discussie worden gesteld, zal de Afdeling deze in beginsel als juist beschouwen.

> Zie bijvoorbeeld de overweging in ABRS 15 juni 1998[387]: *'Tegen de overweging* [in de uitspraak van de rechtbank – RHdB] *dat art. 9 Verordening Bedrijfsafvalstoffen Zuid-Holland onverbindend is zijn geen beroepsgronden voorgedragen. In hoger beroep moet dan ook van de onrechtmatigheid van de weigering om ontheffing te verlenen worden uitgegaan.'*[388]

De regel dat het hoger beroep zich beperkt tot de aangevochten onderdelen van de uitspraak van de rechtbank, wordt doorbroken wanneer sprake is van het ambtshalve toetsen aan rechtsgronden van openbare orde. Zie hierover hoofdstuk 5.

9.5 Herkansing in hoger beroep

Zowel in het civiele recht als in het strafrecht geldt dat het hoger beroep er mede toe dient om fouten of verzuimen te herstellen. Dit is de herkansingsfunctie van het hoger beroep. Bij de beantwoording van de vraag of ook in het bestuursrecht sprake is van herkansing in hoger beroep, dient een onderscheid te worden gemaakt tussen de positie van het bestuursorgaan en die van de belanghebbende.

9.5.1 Herkansing voor het bestuursorgaan

Voor het bestuursorgaan komt de vraag naar de herkansing in hoger beroep grotendeels neer op de vraag of wijziging van het besluit is toegestaan. Dit is al besproken in paragraaf 2.9.

Kort gezegd komt het erop neer dat een verandering van de *grondslag* of van het *rechtsgevolg* van het besluit tijdens de procedure in beginsel niet mogelijk is. Het bestuursorgaan dient dan een nieuw besluit te nemen. Aangezien dit altijd mogelijk is – mits voldaan is aan de eisen van art. 6:18 Awb –, heeft het bestuursorgaan in dat opzicht altijd een herkansing.

Het verbeteren of aanvullen van de motivering van een besluit tijdens de procedure is wel toegestaan. Wanneer de rechtbank echter een besluit heeft vernietigd wegens een gebrekkige motivering, is het waarschijnlijk niet mogelijk dat het bestuursorgaan dit in hoger beroep herstelt. De Centrale Raad overwoog in zo'n situatie: *'dat het hoger beroep niet [is] gegeven om slechts een door de rechtbank gesignaleerd gebrek aan een besluit te herstellen.'*[389] Het woord 'slechts' kan er echter op duiden dat wanneer het bestuursorgaan in hoger beroep ook op andere punten het oordeel van de rechtbank betwist, tot een andere uitkomst zou kunnen worden gekomen.

---

387 ABRS 15 juni 1998, JB 1998, 181.
388 Vgl. ook ABRS 6 januari 2000, AB 2000, 340 m.nt. NV.
389 CRvB 29 oktober 1998, AB 1998, 65 m.nt. FP.

De Afdeling lijkt soepeler te zijn voor het bestuursorgaan.[390] De jurisprudentie geeft hierover echter geen uitsluitsel.

9.5.2 Herkansing voor de belanghebbende

In hoofdstuk 8 werd het trechtermodel besproken, zoals dat door de Afdeling bestuurs-rechtspraak wordt toegepast. Voor het hoger beroep heeft het trechtermodel tot gevolg dat argumenten die door een belanghebbende voor het eerst in hoger beroep worden opgeworpen, buiten beschouwing worden gelaten.

Een belanghebbende vraagt een toevoeging aan bij de raad voor rechtsbijstand. De aanvraag wordt afgewezen, omdat betrokkene over te veel vermogen zou beschik-ken. De belanghebbende betwist dit. In hoger beroep voert hij een nieuw argument aan dat betrekking heeft op de vermogensvaststelling. De Afdeling overweegt hier-over het volgende: '*Eerst in hoger beroep heeft appellante de in de berekening betrokken waarde (...) betwist. Daarmee heeft [het bestuursorgaan] evenmin als de rechtbank rekening kunnen houden. Om die reden kunnen ook andere ontwikkelingen die dateren van na het nemen van het bestreden besluit (...) niet in de beoordeling worden betrokken.*'[391]
De Afdeling laat het nieuwe argument dus buiten beschouwing.

De toepassing van het trechtermodel in hoger beroep sluit aan bij de visie van de Afdeling dat in hoger beroep niet het bestreden besluit, maar de uitspraak van de recht-bank ter toetsing voorligt. Als in hoger beroep zou worden geaccepteerd dat nog nieu-we argumenten kunnen worden ingebracht, zou de uitspraak van de rechtbank kunnen worden vernietigd op gronden waarover de rechtbank nooit een oordeel heeft kunnen geven. Dit wordt door de Afdeling kennelijk als onwenselijk beschouwd. Waaróm, is niet duidelijk. In het civiele recht – en ook in de rechtspraak van de Centrale Raad – is dit nimmer een probleem geacht.

Voortbouwend op het onderscheid tussen *gronden* en *argumenten* – waarbij argumen-ten de gronden onderbouwen – wordt in de literatuur soms verdedigd dat nieuwe gronden niet, maar nieuwe argumenten in hoger beroep wél zouden zijn toege-staan.[392] Omdat ik het onderscheid tussen gronden en argumenten onduidelijk vind, gebruik ik het niet (zie paragraaf 3.6). Het onderscheid biedt ook geen inzicht in de vraag wanneer nieuwe argumenten dan wel nieuwe stukken in (hoger) beroep zijn toegestaan. Zie daarover hoofdstuk 8.

Gebruik van het trechtermodel leidt ertoe dat *herkansing* in hoger beroep voor de recht-zoekende burger in beginsel niet aan de orde is. Deze heeft immers niet de mogelijkheid

---

390   Bijv. ABRS 12 juni 2001, AB 2002, 323 m.nt. A.T. Marseille.
391   ABRS 3 juni 2000, JB 2000, 213.
392   T. Hoogenboom, De Afdeling bestuursrechtspraak van de Raad van State als appelrechter, in: *NTB* (1998) p. 126-135, p. 133-134; Idem R.J.G.M. Widdershoven e.a., *Algemeen bestuursrecht 2001: hoger beroep*, Den Haag 2001, p. 122 e.v.

om onderdelen van het besluit die hij aanvankelijk in bezwaar en beroep niet aan de orde heeft gesteld, alsnog aan de appelrechter voor te leggen. Evenmin kan de belanghebbende in hoger beroep nieuwe argumenten of nieuwe bewijsstukken in het geding brengen.

Dit is een opvallende ontwikkeling, omdat uit de wetsgeschiedenis blijkt dat de Awb-wetgever wél voor ogen stond dat in hoger beroep herkansing mogelijk was.

> Zie de volgende passage: '*Daartoe wordt (...) rechtspraak in twee feitelijke instanties inge-voerd. Daaraan liggen twee hoofdoverwegingen ten grondslag. In de eerste plaats wordt daar-mee een voor onze rechterlijke organisatie geldende hoofdregel gevolgd, dat de mogelijkheid dient te bestaan om een in eerste aanleg gegeven rechterlijk oordeel in volle omvang in hoger beroep te laten toetsen. De algemene motieven die daaraan ten grondslag liggen, zijn het bevorderen van de kwaliteit van de rechtspraak en de mogelijkheid van het herstellen van fouten (naast de mogelijkheid van controle op het werk van de rechter in eerste aanleg ook de mogelijkheid van herstel van misslagen van partijen) (...).*'[393]
> Vergelijk voor het civiele procesrecht de Hoge Raad: '*Het hoger beroep strekt niet uit-sluitend tot een beoordeling van de juistheid van de in eerste aanleg gegeven beslissing, maar, binnen de grenzen van de rechtsstrijd in appel, tot een nieuwe behandeling van de zaak.*'[394]
> Ook bij de invoering van het hoger beroep in het nieuwe fiscale procesrecht is de herkansing in hoger beroep tot uitgangspunt genomen.[395]

Nergens in de wetsgeschiedenis zijn aanknopingspunten te vinden voor een beperkte vorm van hoger beroep, zoals ontwikkeld door de Afdeling. Integendeel, herhaaldelijk is aangegeven dat de behandeling in hoger beroep dezelfde omvang heeft als die in eer-ste aanleg: een volwaardige tweede feitelijke instantie.[396] Door veel auteurs is dan ook kritiek uitgeoefend op de wijze waarop de Afdeling bestuursrechtspraak invulling heeft gegeven aan het hoger beroep.[397]

> De Commissie Boukema neemt een tussenstandpunt en staat een 'gedifferentieerd stelsel' voor, overeenkomstig de voorstellen van de onderzoekers die het hoger beroep evalueerden. Enerzijds is geadviseerd – aanknopend bij de aanbeveling dat als object van het geding in hoger beroep de uitspraak van de eerste rechter heeft te gel-den – dat in hoger beroep geen onderdelen van het besluit kunnen worden aange-vochten, die in eerste aanleg niet in geschil waren. Anderzijds is aanbevolen dat par-tijen met betrekking tot onderdelen van het besluit die in eerste aanleg in geschil waren, in hoger beroep nieuwe gronden of argumenten aan kunnen voeren, tenzij de goede procesorde zich daartegen verzet. De inhoud van de goede procesorde

---

393 PG Awb II, p. 79 (MvT).
394 HR 23 februari 1996, NJ 1996, 395.
395 TK 2003-2004, 29 251 nr. 3 (MvT) p. 9.
396 PG Awb II, p. 545-546 (MvT).
397 O.a. A.Q.C. Tak, Devolutieve werking van het appel, in: *NTB* (1998) p. 210-211; R.H. de Bock, Hoger beroep in het bestuursrecht: herkansing, afvalrace of roulette? in: *NJB* (1999) p. 1148-1156; Idem de vele noten van R.J.N. Schlössels bij de uitspraken van de Afdeling. Vgl. ook F.A.M. Stroink en R.J.G.M. Widdershoven, Hoger beroep in het bestuursrecht. Deel I, Herkansing of trechter? in: *JB-plus* (2001) p. 163-174.

wordt daarbij mede bepaald door de aard van het geschil, in het bijzonder het al dan niet betrokken zijn van belangen van derden.[398]

De Commissie is van mening dat het gedifferentieerde stelsel niet in de wet moet worden neergelegd, maar dat de jurisprudentie in de aangegeven zin wordt bijgesteld. In reactie hierop hebben de onderzoekers benadrukt dat volgens hen een wettelijke regeling noodzakelijk is: *'het is immers onzeker en wellicht ook wel wat veel gevraagd, dat de Afdeling naar aanleiding van de oproep van de Commissie opeens zal of zelfs moet erkennen dat men de wet tot nu toe (helaas) verkeerd heeft geïnterpreteerd.'*[399]

De beperkte vorm van hoger beroep wordt door de Afdeling met name verdedigd met een beroep op haar *rechtseenheidsfunctie* en haar taak tot *controle* van de rechtspraak in eerste aanleg.[400] De functie van herkansing in hoger beroep is daaraan ondergeschikt gemaakt. Zoals besproken, wordt het trechtermodel niet toegepast door de Centrale Raad van Beroep. Bij de Centrale Raad is herkansing in hoger beroep wel mogelijk. Belanghebbende kan dus in beginsel altijd nieuwe argumenten aanvoeren of bewijsstukken in het geding brengen (zie nader paragraaf 8.4).

9.6 Vermeerdering vordering

De vordering in een bestuursrechtelijke procedure komt in veel gevallen neer op het verzoek aan de rechter om het bestreden besluit te vernietigen (vergelijk paragraaf 3.5). Vermeerdering van de vordering is dan niet aan de orde.

Iets anders is of in hoger beroep de aan het besluit ten grondslag liggende *aanvraag* kan worden vermeerderd. Zoals al aan de orde kwam in paragraaf 2.6, is dat niet mogelijk.[401] De inhoud van het besluit bepaalt immers de reikwijdte van de toetsing. Bij een besluit op aanvraag is de inhoud van de aanvraag mede bepalend voor de inhoud van het besluit, en derhalve voor de reikwijdte van de toetsing. Het gevolg hiervan is dat de rechter slechts kan toetsen hetgeen waarom in de oorspronkelijke aanvraag is verzocht. Ook de grondslag van de aanvraag kan tijdens de procedure niet worden gewijzigd.[402] Speciale aandacht verdient de vraag of voor het eerst in hoger beroep een verzoek om een proceskostenveroordeling van het bestuursorgaan (art. 8:75 Awb) of een verzoek om schadevergoeding (art. 8:73 Awb) kan worden gedaan.

Voor wat betreft de proceskostenveroordeling wordt algemeen aangenomen dat dit geen probleem is, voor zover het gaat om de 'standaard' kosten voor beroepsmatig verleende rechtsbijstand (vergelijk paragraaf 3.5).[403] De reden hiervoor is dat de rechter ambts-

---

398 Commissie Evaluatie Awb II, *Algemeen bestuursrecht 2001: toepassing en effecten van de Algemene wet bestuursrecht 1997-2001*, Den Haag 2002, p. 36.

399 R.J.G.M. Widdershoven e.a., Boukema over hoger beroep, in: *NTB* (2002) p. 169-170.

400 R.J.G.M. Widdershoven e.a., *Algemeen bestuursrecht 2001: hoger beroep*, Den Haag 2001, p. 217; p. 26-27.

401 CRvB 25 januari 2001, JB 2001, 77 m.nt. R.J.N.S.; zie echter anders CRvB 19 mei 1998, JB 1998, 185.

402 ABRS 11 november 1999, JB 1999, 7 m.nt. R.J.N.S.

403 ABRS 31 mei 1999, AB 1999, 312 m.nt. MSV; CRvB 6 februari 1996, AB 1996, 127 m.nt. F.J.L. Pennings; CRvB 28 augustus 1995, JB 1995, 242; ABRS 6 juni 1996, AB 1997, 156 m.nt. B.J. Schueler (JB 1996, 173 m.nt. JMED).

halve dient na te gaan of er aanleiding is voor een proceskostenveroordeling; een verzoek van de belanghebbende is daarvoor niet vereist. Wanneer de rechter zonder nadere overweging géén proceskostenveroordeling toekent, is derhalve sprake van een omissie. De belanghebbende kan in hoger beroep herstel van deze omissie vragen. Wanneer het gaat om proceskosten waarvoor een gespecificeerd verzoek nodig is – zoals verblijf- of verletkosten –, dient dat verzoek, inclusief specificaties, direct in eerste aanleg plaats te vinden. Wanneer dit wordt verzuimd, is in hoger beroep geen herstel mogelijk.[404]

Anders ligt het voor een verzoek om schadevergoeding (art. 8:73 Awb). Naar het oordeel van de Afdeling bestuursrechtspraak kan een dergelijk verzoek niet voor het eerst in hoger beroep worden gedaan, wanneer een belanghebbende door de rechtbank al in het gelijk was gesteld. In dat geval had hij zo'n verzoek direct bij de rechtbank moeten doen; het is volgens de Afdeling in strijd met de goede procesorde om dit pas in hoger beroep te doen.[405]

> Deze strenge rechtspraak volgt niet uit de Awb. Zowel art. 8:73 Awb als art. 8:75 Awb zijn ook in hoger beroep van toepassing. Noch in de wet noch in de wetsgeschiedenis zijn er aanknopingspunten voor een beperking als door de Afdeling aangebracht. De uitspraken passen wel in het trechtermodel van de Afdeling.

Wanneer een belanghebbende door de rechtbank in het ongelijk is gesteld – zijn beroep is ongegrond verklaard –, kan hij alsnog in hoger beroep om schadevergoeding vragen.[406] Een eerder verzoek om schadevergoeding zou dan immers toch niet zijn toegewezen.

9.7 Devolutieve werking van het hoger beroep

Het begrip 'devolutieve werking van het hoger beroep' is afkomstig uit het civiele recht. Hiermee wordt bedoeld dat bij het instellen van hoger beroep, binnen het door de grieven afgebakende gebied, in beginsel de gehele zaak van de rechter in eerste aanleg wordt overgebracht of afgewenteld op de appelrechter. Hieruit vloeit voort dat de rechtsstrijd in hoger beroep in beginsel dezelfde is als de rechtsstrijd in eerste aanleg: wat in eerste aanleg in geschil is, is ook in geschil in appel.[407]

> Die afwenteling van het gehele geschil op de appelrechter, berust op de gedachte dat de appelprocedure niet alleen bedoeld is voor een debat over de bestreden uitspraak, maar ook voor voortzetting van het debat in eerste aanleg.[408]

Een gevolg van de afwenteling van het geschil op de appelrechter is het verbod van terugverwijzing.[409] Dit verbod houdt in dat de appelrechter, bij gegrondbevinding van

---

404 ABRS 31 mei 1999, AB 1999, 312 m.nt. MSV.
405 ABRS 19 maart 1999, AB 1999, 205 m.nt. MSV (JB 1999, 133 m.nt. R.J.N.S.).
406 ABRS 15 mei 1997, AB 1997, 398.
407 H.J. Snijders, A. Wendels, *Civiel appel*, Deventer 2003, p. 214.
408 H.J. Snijders, A. Wendels, a.w., p. 167.
409 Bijv. HR 20 maart 1992, NJ 1992, 725.

een of meer grieven, de zaak niet mag terugverwijzen naar de rechter in eerste aanleg, maar de zaak zelf moet afdoen.

Zie echter art. 356 Rv: in geval van vernietiging van een tussenvonnis, kan de rechter (naar keuze) de zaak aan zich houden of terugwijzen naar de rechtbank. Die terugverwijzingsbevoegdheid is op grond van art. 355 Rv beperkter in geval van bekrachtiging van een tussenvonnis.

Ook in het bestuursrecht geldt als uitgangspunt dat bij het instellen van hoger beroep de gehele zaak in beginsel wordt overgebracht op de appelrechter. De appelrechter doet in beginsel de zaak zelf af. Wanneer blijkt dat de rechtbank fouten heeft gemaakt bij de beoordeling, wordt de zaak dus niet terugverwezen naar de rechtbank ter verdere berechting.

Art. 26 lid 1, sub a, Beroepswet (art. 44 lid 1, sub a, Wet RvS; art. 28 lid 1, sub a, Wbbo) *verplicht* de appelrechter de zaak terug te verwijzen naar de rechtbank, indien deze zich ten onrechte onbevoegd heeft verklaard of ten onrechte het beroep niet-ontvankelijk heeft verklaard. Voorts geeft art. 26 lid 2, sub b, Beroepswet (art. 44 lid 1, sub b, Wet RvS; art. 28 lid 1, sub b, Wbbo) de appelrechter de *bevoegdheid* tot terugverwijzing, indien de appelrechter om andere redenen van oordeel is dat de zaak opnieuw door de rechtbank moet worden behandeld.

Op dit laatste punt – het gebruik maken van de bevoegdheid tot terugverwijzing – geeft de rechtspraak geen consistent beeld.[410] Wanneer de rechtbank voorschriften van openbare orde schendt die betrekking hebben op het verloop van de procedure bij de rechtbank (vergelijk paragraaf 5.3.7) verwijst de appelrechter doorgaans wel terug.[411] Ook bij het doorbreken van een appelverbod verwijst de appelrechter terug.[412] Soms verwijst de appelrechter terug wanneer de rechter in eerste aanleg op een onjuiste grond – bijvoorbeeld onbevoegdheid van het bestuursorgaan – vernietigd heeft, waardoor de inhoudelijke aspecten van de zaak nog niet beoordeeld zijn[413]; soms ook niet.[414]

Wanneer de rechtbank vergeet om uitspraak te doen op een verzoek om schadevergoeding (art. 8:73 Awb) of proceskostenveroordeling (8:75 Awb) verwijst de Afdeling bestuursrechtspraak de zaak terug naar de rechtbank.[415] De Centrale Raad houdt zich ook in deze gevallen aan het uitgangspunt dat de gehele zaak wordt overgebracht naar de appelrechter.[416]

---

410 Vgl. M. Schreuder-Vlasblom, *Rechtsbescherming en bestuurlijke voorprocedure*, Deventer 2001, p. 400 e.v.
411 CRvB 14 september 2000, AB 2001, 33 m.nt. HH; CRvB 23 maart 1999, AB 1999, 318; CRvB 4 maart 1997, RSV 1997, 212; CRvB 11 april 1996, AB 1996, 257 m.nt. PJS. *Anders echter* CRvB 4 april 2003, JB 2003, 182; CRvB 31 december 2002, JB 2003, 53; CRvB 5 december 2000, RSV 2001, 39; CRvB 13 februari 1996, AB 1996, 170 m.nt. F.J.L. Pennings.
412 ABRS 6 december 2002, AB 2003, 229 m.nt. P.A. Willemsen; CRvB 29 januari 1999, AB 1999, 200 m.nt. FP.
413 CRvB 30 december 1997, RSV 1998, 234.
414 ABRS 12 februari 1999, AB 1999, 248 m.nt. FM; CRvB 3 oktober 1996, TAR 1996, 202; ABRS 10 september 1996, JB 1996, 124 m.nt. AWH.
415 ABRS 25 juni 1999, JB 1999, 195.
416 CRvB 6 februari 1998, AB 1996, 127 m.nt. F.J.L. Pennings.

Een ander gevolg van de devolutieve werking van het appel is dat argumenten van een belanghebbende waaraan de rechtbank niet is toegekomen, door de appelrechter alsnog bij de beoordeling moeten worden betrokken wanneer een of meer grieven slagen en dit tot gevolg heeft dat het beroepen vonnis niet in stand kan blijven.

In het civiele recht spreekt men hier over *de positieve zijde van de devolutieve werking van het hoger beroep*: als een of meer grieven doel treffen en dit op zichzelf zou moeten leiden tot vernietiging van het vonnis, moet de appelrechter alle in eerste aanleg door geïntimeerde (gedaagde in hoger beroep) aangevoerde stellingen en weren alsnog, dan wel opnieuw, beoordelen, voor zover deze voor geïntimeerde geen nadelige invloed hebben gehad op het dictum van het vonnis van de rechtbank.[417] Die laatste voorwaarde is essentieel; als daaraan niet is voldaan, had geïntimeerde zelf moeten opkomen tegen het vonnis door daartegen (incidenteel) appel in te stellen, waarover meer in paragraaf 9.9.

Het volgende voorbeeld laat de positieve zijde van de devolutieve werking van het appel zien. Partij A vordert € 20.000 aan schadevergoeding van partij B op grond van onrechtmatig handelen. B stelt in de eerste plaats dat hij niet onrechtmatig heeft gehandeld en in de tweede plaats dat de gevorderde schadevergoeding veel te hoog is. De rechtbank beslist dat geen sprake is geweest van onrechtmatig handelen door B, en wijst om die reden de schadevergoeding af. A stelt hoger beroep in en voert in zijn grief aan dat B wel onrechtmatig heeft gehandeld. Wanneer de appelrechter van oordeel is dat de grief van A gegrond is, betekent dit dat de appelrechter vervolgens bij de beoordeling moet betrekken het bij de rechtbank gevoerde verweer van B met betrekking tot de hoogte van de schade, ook wanneer B dit verweer niet opnieuw in hoger beroep naar voren heeft gebracht.

Ook deze regel wordt in het bestuursrecht toegepast[418], zo is af te leiden uit de recht-spraak van de Centrale Raad van Beroep.[419] Wanneer blijkt dat een van de in het appel-schrift aangevoerde argumenten slaagt en dit tot vernietiging van de uitspraak van de rechtbank zou leiden, dient de appelrechter bij haar beoordeling óók die stellingen te betrekken, die de rechtbank heeft verworpen of waaraan zij niet is toegekomen, door-dat op een andere grond het beroep (on)gegrond was verklaard. Ook de rechtspraak van de Afdeling bestuursrechtspraak lijkt in deze richting te wijzen.[420]

417　H.J. Snijders, A. Wendels, *Civiel appel*, Deventer 2003, p. 218.

418　R.J.G.M. Widdershoven e.a., *Algemeen bestuursrecht 2001: hoger beroep*, Den Haag 2001, p. 107/108; M. Schreuder-Vlasblom, *Rechtsbescherming en bestuurlijke voorprocedure*, Deventer 2003, p. 384; T. Hoogenboom, De Afdeling bestuursrechtspraak van de Raad van State als appelrechter, in: *NTB* (1998) p. 126-135; L.J.A. Damen e.a., *Bestuursrecht 2, Rechtsbescherming*, Den Haag 2002, p. 253.

419　CRvB 4 januari 2001, JB 2001, 54 m.nt. R.J.N.S.; CRvB 8 april 1999, RSV 1999, 216; CRvB 3 okto-ber 1996, TAR 1996, 202; ABRS 10 september 1996, JB 1996 m.nt. AWH. In een andere richting zou wijzen CRvB 11 november 1999, JB 1999, 306, aldus Van Maanen in zijn noot bij deze uitspraak. Uit de uitspraak leid ik echter af dat gedaagde in hoger beroep zijn aanvankelijke verweer op het betreffen-de punt had laten vallen. Hiermee is, in civielrechtelijke termen, sprake van een 'prijsgegeven stelling'. Dat is een stelling waarvan betrokkene uitdrukkelijk afstand heeft gedaan. In dat geval hoeft de appel-rechter niet meer in te gaan op het verweer.

420　ABRS 10 september 1996, JB 1996, 214 m.nt. AWH.

Een ambtenaar wordt een disciplinaire sanctie opgelegd. De ambtenaar voert aan (1) dat hij geen strafwaardige handeling heeft gepleegd en (2) dat de straf onevenredig zwaar is. De rechtbank verklaart het beroep gegrond op argument (1) en komt niet toe aan argument (2). Tegen deze beslissing stelt het bestuursorgaan hoger beroep in. De appelrechter is met het bestuursorgaan, anders dan de rechtbank, van oordeel dat argument (1) niet opgaat. De positieve zijde van de devolutieve werking van het hoger beroep brengt nu mee dat de appelrechter alsnog argument (2) dient te behandelen.

In het civiele procesrecht dient de appelrechter niet alleen acht te slaan op argumenten van geïntimeerde die door de rechtbank *onbesproken* zijn gelaten, maar ook op argumenten die door de rechtbank zijn *verworpen*, tenzij die verwerping een nadelige invloed op het dictum heeft gehad. In dat laatste geval had geïntimeerde namelijk zelf (incidenteel) appel moeten instellen (zie paragraaf 9.9).

Deze regel is in het bestuursprocesrecht echter minder goed toepasbaar, omdat de verwerping van bepaalde argumenten niet altijd is terug te zien in het dictum (dat immers in beginsel slechts het beroep gegrond of ongegrond verklaard). Anders gezegd: het is goed mogelijk dat een uitspraak die voor de belanghebbende een gunstig dictum heeft – gegrondverklaring van het beroep –, toch overwegingen bevat die voor hem nadelige gevolgen hebben. Zie voor voorbeelden hierna bij paragraaf 9.10.2.

Een ander belangrijk aspect van de positieve zijde van devolutieve werking van het hoger beroep, zoals bekend uit het civiele procesrecht, is dat het in hoger beroep mogelijk is om nieuwe argumenten of bewijsmiddelen aan te dragen. Ook kan in hoger beroep de vordering worden vermeerderd. Hiervoor, bij paragraaf 9.6 en 9.7, kwam al aan de orde dat deze regel in het bestuursprocesrecht niet onverkort geldt.

De vraag of in het bestuursprocesrecht het hoger beroep ook devolutieve werking heeft, kan dus niet eenduidig worden beantwoord. *Wel* voor zover in beginsel de gehele zaak aan het oordeel van de appelrechter wordt afgewenteld, wat met zich meebrengt dat de appelrechter bij haar beoordeling ook argumenten moet betrekken, die in eerste aanleg onbesproken zijn gebleven. *Niet* waar de Afdeling bestuursrechtspraak niet toestaat dat in hoger beroep nieuwe argumenten en bewijsmiddelen worden aangedragen.

9.8 Grievenstelsel

Op het uitgangspunt dat in beginsel het gehele geschil wordt onderworpen aan het oordeel van de appelrechter, wordt in het civiele procesrecht een belangrijke beperking aangebracht door het *grievenstelsel*. Het grievenstelsel houdt in dat alle voor appellant nadelige beslissingen waartegen deze geen grieven richt, in hoger beroep vaststaan.[421]

Dit wordt ook wel aangeduid als *de negatieve zijde van de devolutieve werking* van het hoger beroep. Zie het volgende voorbeeld: A vordert van B schadevergoeding op grond van onrechtmatig handelen, € 20.000 wegens materiële schade en € 10.000

---

421 Zie de duidelijke uiteenzetting van de A-G in zijn conclusie bij HR 23 februari 2001, NJ 2001, 431.

aan smartengeld. De rechtbank oordeelt dat B onrechtmatig heeft gehandeld jegens A, maar wijst de materiële schade slechts toe tot een bedrag van € 5.000. Het smartengeld wordt geheel afgewezen. A stelt hoger beroep in, maar richt zijn grieven uitsluitend op de afwijzing van een deel van de materiële schade. Geen grieven worden gericht tegen de afwijzing van het smartengeld. In hoger beroep staat de afwijzing van het smartengeld dan vast.

De grieven stellen alleen de hoogte van de schadevergoeding aan de orde. Het debat in hoger beroep heeft derhalve geen betrekking op de vraag of er wel enige grondslag is voor het toewijzen van schadevergoeding, en of het oordeel van de rechtbank daarover juist was. Wanneer B deze rechtsvraag in hoger beroep aan de orde wil stellen, zal hij zelf (incidenteel) appel moeten instellen. Het oordeel van de rechtbank hierover heeft immers geleid tot toewijzing in het *dictum* van een schadebedrag. Zie nader paragraaf 9.9.

Het bestuursprocesrecht kent volgens het systeem van de Awb geen grievenstelsel. Zoals al aan de orde kwam, is de Awb-wetgever ervan uitgegaan dat in hoger beroep de zaak in volle omvang opnieuw dient te worden behandeld.

De wijze waarop de Afdeling bestuursrechtspraak toetst komt echter feitelijk zeer dicht in de buurt van een grievenstelsel. De essentie van het grievenstelsel is immers dat de appelrechter zich dient te beperken tot wat in de grieven is aangevoerd. Zo beperkt ook de Afdeling bestuursrechtspraak zich bij haar beoordeling tot de in het appelschrift aangevochten onderdelen van een uitspraak van de rechtbank (vergelijk paragraaf 3.8), alsmede tot de in het appelschrift aangevoerde argumenten (vergelijk paragraaf. 4.7).

De Afdeling hanteert zelfs een strenger grievenstelsel dan de civiele appelrechter. Omdat, zoals hiervoor werd besproken, het hoger beroep in het civiele recht óók strekt tot herstel van verzuimen en tot aanvulling van wat in eerste instantie is aangevoerd (herkansing) hoeft een grief niet per se gericht te zijn tegen (een onderdeel van) het vonnis van de rechtbank. Een grief is niet anders dan een grond waarop tot vernietiging van de bestreden uitspraak zou moeten worden gekomen. De grief kan ook een nieuw argument of zelfs een eisvermeerdering inhouden. In zoverre is de benaming 'grieven', die suggereert dat het steeds gaat om een bezwaar tegen de uitspraak van de rechtbank, in het civiele appel verwarrend.[422]

Bij de Afdeling brengt het trechtermodel met zich mee dat appellant gebonden is aan eerdere beperkingen in de reikwijdte en inhoud van de toetsing.

Anders ligt het voor de Centrale Raad van Beroep. Zoals al eerder aan de orde kwam, toetst de Raad in hoger beroep in beginsel het gehele besluit, tenzij belanghebbende welbewust tegen een bepaald onderdeel geen bezwaar (meer) heeft. Voorts beperkt de Centrale Raad zijn toetsing niet tot in het beroepschrift aangevoerde argumenten, maar vult zij ook daarbuiten op ruime schaal rechtsgronden aan.

---

422 H.E. Ras, bewerkt door A. Hammerstein, *De grenzen van de rechtsstrijd in hoger beroep in burgerlijke zaken*, Deventer 2001, p. 25.

9.8.1. Grievenstelsel in het vreemdelingenrecht

Het vreemdelingenrecht neemt in het bestuursrecht een bijzondere positie in, doordat het een aantal afwijkende processuele regels kent. Hier is met name van belang art. 85 Vreemdelingenwet 2000. Dit artikel bevat namelijk uitdrukkelijk een grievenstelsel voor het hoger beroep. Art. 85 luidt als volgt:

> '1. In aanvulling op artikel 6:5, onderdeel d, van de Algemene wet bestuursrecht bevat het beroep-schrift een of meer grieven tegen de uitspraak van de rechtbank of de president van de rechtbank.
>
> 2. Een grief omschrijft het onderdeel van de uitspraak waarmee de indiener zich niet kan verenigen alsmede de gronden waarop de indiener zich daarmee niet kan verenigen.
>
> 3. Indien niet voldaan is aan het eerste of tweede lid (...) wordt het hoger beroep niet ontvankelijk verklaard. Artikel 6:6 van de Algemene wet bestuursrecht is niet van toepassing.'

Op straffe van niet-ontvankelijkheid moet in het beroepschrift dus zijn aangeven met welke onderdelen van de uitspraak van de rechtbank de belanghebbende het niet eens is. Bovendien moet worden vermeld *waarom* men het niet eens is met die onderdelen.

Uit de wetsgeschiedenis blijkt dat art. 85 Vw met name is ingegeven door de wens om de procedure in zo kort mogelijke tijd te kunnen doorlopen. Omdat de vreem-deling in de praktijk doorgaans over professionele rechtsbijstand beschikt, achtte men het verantwoord om hoge eisen te stellen aan het appelschrift.[423]

Uit de rechtspraak blijkt dat de Afdeling deze bepaling zeer strikt interpreteert en toe-past.[424]

Zo blijkt de Afdeling lid 2 van art. 85 Vw 2000 zeer letterlijk te lezen: een grief moet expliciet vermelden tegen welk onderdeel van de uitspraak, en om welke reden, bezwaar wordt gemaakt. Een enkele herhaling van de argumenten die bij de rechtbank zijn aan-gevoerd, wordt onvoldoende geacht.[425] Ook acht de Afdeling het onvoldoende wanneer appellant aangeeft '*dat hij het geschil in volle omvang aan de Afdeling wenst voor te leggen.*'[426]

Vergelijk hiermee de benadering van de Hoge Raad: wanneer voldoende duidelijk is voor de wederpartij en de appelrechter, welke bezwaren appellant heeft tegen de uitspraak van de rechtbank, kan het enkele herhalen van de stellingen in eerste aan-leg onder omstandigheden een voldoende omschrijving van een grief zijn.[427] Zie bijvoorbeeld de volgende overweging: '*Als grieven gelden alle gronden die appellant aan-voert ten betoge dat de bestreden uitspraak moet worden vernietigd.*'[428]

---

423 Tekst&toelichting Vw 2000, (ed. 2002-2003), p. 303-304.
424 Zie ook T.P. Spijkerboer, *Het hoger beroep in vreemdelingenzaken*, Den Haag 2002, p. 39 e.v.; W.J. van Bennekom, Een vorm van appel, in: *NJB* (2001) p. 1107-1113.
425 ABRS 7 juni 2002, AB 2002, 31 m.bt. Sew; ABRS 17 augustus 2001, AB 2001, 300 m.nt. Sew (JB 2001, 269 m.nt. EvdL); ABRS 27 juli 2001, AB 2001, 287 m.nt. Sew.
426 ABRS 11 september 2001, JV 2001, 306.
427 Vgl. H.J. Snijders, A. Wendels, *Civiel appel*, Deventer 2003, p. 172 e.v.
428 HR 9 september 1994, NJ 1995, 6; herhaald in HR 28 maart 1997, NJ 1997, 452.

Verder blijkt uit de rechtspraak van de Afdeling dat in een grief geen argumenten mogen worden aangevoerd, die in beroep bij de rechtbank niet naar voren zijn gebracht. Dit is slechts anders wanneer het gaat om argumenten die de rechtbank zelf ambtshalve had moeten bijbrengen.

> De Afdeling overwoog hierover: *'Uit voormeld art. 85 lid 1 en 2 Vw 2000 volgt evenwel dat de grieven in hoger beroep moeten blijven binnen de beoordeling van het bestreden besluit die de rechtbank naar aanleiding van de daartegen voor haar aangevoerde gronden en de door haar te verrichten ambtshalve toetsing heeft gegeven, dan wel behoorde te geven.'*[429]

We zien dus dat het grievenstelsel in de visie van de Afdeling een tweeledige consequentie heeft. In de eerste plaats wordt – zoals ook letterlijk volgt uit het tweede lid van art. 85 Vw 2000 – een beperking aangebracht, in die zin dat de appelrechter alleen díe onderdelen van de uitspraak van de rechtbank beoordeelt, waartegen een grief is gericht. In de tweede plaats geldt dat in een grief alleen argumenten mogen worden aangevoerd, die ook al in beroep bij de rechtbank naar voren zijn gebracht. Het grievenstelsel brengt zo dus ook een inhoudelijke beperking van de omvang van het hoger beroep met zich mee.

Het sluitstuk van art. 85 Vw wordt gevormd door art. 91 Vw:

> '1. *De Afdeling bestuursrechtspraak van de Raad van State kan zich bij haar uitspraak beperken tot een beoordeling van de aangevoerde grieven.*
>
> 2. *Indien de Afdeling bestuursrechtspraak van de Raad van State oordeelt dat een aangevoerde grief niet tot vernietiging kan leiden, kan zij zich bij de vermelding van de gronden van haar uitspraak beperken tot dit oordeel.'*

In de wetsgeschiedenis is vermeld dat het eerste lid van art. 91 Vw een snelle en efficiënte afdoening van het hoger beroep ten goede komt. De Afdeling kan zich als regel beperken tot de aangevoerde grieven. Alleen wanneer regels van openbare orde in het geding zijn, moet de rechter wel buiten de grieven om gaan.[430] Vergelijk paragraaf 9.4 en hoofdstuk 5. Het tweede lid van art. 91 Vw geeft de wettelijke basis voor de in het vreemdelingenrecht veel voorkomende wijze van 'verkorte afdoening' door de Afdeling.

> Daarbij beperkt de Afdeling zich tot de overweging *'dat hetgeen in de grieven is aangevoerd niet tot vernietiging van de uitspraak kan leiden. Omdat deze grieven geen vragen opwerpen die in het belang van de rechtseenheid, de rechtsontwikkeling of de rechtsbescherming in algemene zin beantwoording behoeven, wordt, (...) met dat oordeel volstaan.'*

De behandeling van het hoger beroep in vreemdelingenzaken staat daarmee geheel in het teken van een zo spoedig mogelijke afdoening.

---

429 ABRS 3 september 2001, AB 2001, 302 m.nt. Sew; ABRS 2 augustus 2001, JV 2001, 257. Vgl. ook Th. Spijkerboer, De mensenrechtentoets door de vreemdelingenrechter: het trechtermodel in asielzaken, in: NJCMT-Bulletin (2003) p. 549-562.

430 Tekst&toelichting Vw 2000 (ed. 2002-2003), p. 317.

9.9 Incidenteel appel

Bij de omvang van de toetsing in hoger beroep speelt nog een extra probleem. In de regel stelt een van beide partijen hoger beroep in tegen de uitspraak van de rechtbank. Uiteraard is het ook mogelijk dat beide partijen binnen de appeltermijn hoger beroep instellen.[431] Maar kan nu ook de partij die zelf níet binnen de appeltermijn hoger beroep heeft ingesteld, nog met bezwaren tegen de uitspraak van de rechtbank komen? Moet de appelrechter daar acht op slaan? Of is de omvang van de toetsing in hoger beroep hier bepaald door de omvang van het appelschrift?

In het civiele recht is in de wet geregeld dat ook na het verstrijken van de appeltermijn, geïntimeerde (gedaagde in hoger beroep) zelf alsnog bezwaren kan aanvoeren tegen het vonnis van de rechtbank. Dit wordt aangeduid als het instellen van incidenteel appel of incidenteel hoger beroep.

> Zie voor het civiele recht art. 339 lid 3 Rv. Incidenteel appel wordt in de regel ingesteld bij memorie van antwoord. Het incidenteel appel hoeft niet met zo veel woorden te zijn aangeduid. Het is voldoende als uit de memorie van antwoord duidelijk blijkt dat geïntimeerde zelf ook bezwaren heeft tegen het vonnis van de rechtbank.

In het bestuursrecht is in de wet niets geregeld over incidenteel appel.

> Vóór de invoering van de Awb speelde het probleem van incidenteel appel niet. Aangezien uitgangspunt was dat de bestuursrechter zich zelfstandig een oordeel diende te vormen over het gehele aangevallen besluit, waarbij de rechter niet gebonden was aan de door appellant aangevoerde gronden, was in het geheel niet aan de orde of gedaagde in hoger beroep zelf bezwaren mocht aanvoeren; dat was vanzelfsprekend het geval.[432]

Uit de rechtspraak blijkt dat de appelcolleges ook op dit punt niet op één lijn zitten. De Centrale Raad van Beroep betrekt bij de beoordeling in hoger beroep soms ook bezwaren die zijn aangevoerd door de partij die zelf geen hoger beroep heeft ingesteld. Feitelijk wordt dus gewerkt met een vorm van incidenteel appel.

> In de literatuur wordt hier wel gesproken over oneigenlijk incidenteel appel.[433] Daarmee wordt bedoeld dat het incidenteel appel zich buitenwettelijk heeft ontwikkeld.

Hierna zal worden nagegaan in welke gevallen de Centrale Raad incidenteel appel accepteert. Daarbij moet een onderscheid worden gemaakt tussen de situatie dat de belanghebbende gedaagde is en de situatie dat het bestuursorgaan gedaagde in hoger beroep is.

---

431 Zie bijv. CRvB 15 oktober 1998, AB 1999, 89 m.nt. HH, waar in het kopje ten onrechte melding wordt
     gemaakt van 'incidenteel appel'.
432 Zie bijv. CRvB 25 maart 1982, AB 1982, 341 m.nt. vdH.
433 Noot R.J.N. Schlössels bij CRvB 6 oktober 1998, JB 1998, 264.

De Afdeling bestuursrechtspraak laat bezwaren tegen de uitspraak van de rechtbank van een partij die geen hoger beroep in heeft gesteld, buiten beschouwing. Daar wordt dus geen vorm van incidenteel appel toegepast.

9.10 De Centrale Raad van Beroep en incidenteel appel door de belanghebbende

Uit de rechtspraak kan als hoofdregel worden afgeleid dat de Centrale Raad bij zijn beoordeling in beginsel ook bezwaren betrekt die een belanghebbende in het verweerschrift naar voren brengt.[434]

Een voorbeeld biedt CRvB 29 juni 1999.[435] Hier ging het om een besluit waarbij aan betrokkene, die een werkloosheiduitkering ontving, een sanctie was opgelegd wegens verwijtbare werkloosheid. De rechtbank oordeelde dat het bestuursorgaan bevoegd was om een sanctie op te leggen, omdat de belanghebbende verwijtbaar werkloos was te achten. De wijze waarop het bestuursorgaan van zijn bevoegdheid gebruik had gemaakt, achtte de rechtbank echter niet juist, omdat het bestuursorgaan geen op het geval toegespitste belangenafweging had gemaakt. Het bestuursorgaan kwam tegen dit laatste oordeel in hoger beroep. Bij zijn beoordeling betrekt de Centrale Raad ook het bezwaar van de belanghebbende, verwoord in het verweerschrift in hoger beroep, dat geen sprake was van verwijtbare werkloosheid.
Vergelijk ook de zaak waar een herziening van een WAO-uitkering aan de orde was.[436] De rechtbank oordeelde dat de medische beperkingen juist waren vastgesteld, maar vernietigde de arbeidskundige grondslag van het besluit. Het bestuursorgaan kwam hiertegen in hoger beroep. In het verweerschrift stelt de belanghebbende opnieuw de juistheid van de medische grondslag van het besluit aan de orde. Zonder enig probleem betrekt de Raad deze bezwaren van de belanghebbende bij zijn beoordeling, waarbij de Raad tot een ander oordeel komt dan de rechtbank.
Let hier trouwens op het dictum: de aangevallen uitspraak wordt bevestigd, hoewel de bezwaren van de belanghebbende gegrond werden geacht. De reden daarvoor is kennelijk dat de belanghebbende zelf geen appel had ingesteld. Het bestuursorgaan zal echter bij het nemen van een nieuw besluit het oordeel van de Raad over de medische grondslag in acht dienen te nemen.

Op deze wijze worden bij de toetsing in hoger beroep derhalve ook onderdelen van het bestreden besluit betrokken, die niet in het appelschrift aan de orde zijn gesteld. In sommige uitspraken motiveert de Raad zijn werkwijze met het *verwevenheidscriterium*.

---

434 CRvB 4 maart 2003, USZ 2003, 116; CRvB 27 juni 2002, JB 2002, 257 m.nt. EJdeL; CRvB 13 augustus 1999, RSV 1999, 266; CRvB 6 oktober 1998, JB 1998, 264 m.nt. R.J.N.S. (RSV 1999, 43); CRvB 22 oktober 1997, RSV 1998, 48.
435 CRvB 29 juni 1999, JB 1999, 206.
436 CRvB 22 oktober 1997, RSV 1998, 8.

Zie bijvoorbeeld de volgende overweging[437]: '*Gezien de sterke verwevenheid met de beroepsgronden van appellant, kan de omstandigheid dat alleen appellant in hoger beroep is gekomen niet meebrengen dat de Raad in dit geding niet meer kan ingaan op hetgeen gedaagde in hoger beroep heeft aangevoerd. Daarbij neemt de Raad mede in aanmerking, dat bij het ontbreken van de mogelijkheid van zogenaamd incidenteel appel, van gedaagde – nu hij er gelet op de gegrondverklaring van zijn inleidend beroep geen (zwaarwichtig) belang bij had om hoger beroep in te stellen – in redelijkheid niet kon worden gevergd dat hij met het oog op het veiligstellen van zijn processuele positie in een mogelijk door appellant in te stellen hoger beroep zelf hoger beroep instelde.*'

Kennelijk doelt de Centrale Raad hier op de verwevenheid van enerzijds de argumenten van appellant (het bestuursorgaan), en anderzijds de argumenten van verweerder (de belanghebbende). In andere uitspraken spreekt de Centrale Raad niet over verwevenheid tussen de beroepsgronden, maar over '*onderlinge verwevenheid tussen de verschillende onderdelen van een aangevochten besluit*'[438,] of over '*verwevenheid van onderwerpen*'.[439]

Het verwevenheidsargument is niet glashelder. In een van de hiervoor aangehaalde uitspraken richtte het bezwaar van het bestuursorgaan in hoger beroep zich tegen het oordeel van de rechtbank dat het bestuur een te zware sanctie had opgelegd.[440] In het verweerschrift kwam belanghebbende op tegen het oordeel van de rechtbank dat sprake was van plichtsverzuim, zodat het bestuursorgaan wel bevoegd was om een sanctie op te leggen. Het is niet duidelijk waarom zou moeten worden aangenomen dat enerzijds het argument dat (geen) sprake was van plichtsverzuim en anderzijds het argument dat (wel) sprake was van een evenredige sanctie, zodanig verweven zijn dat zij niet los van elkaar zouden kunnen worden beoordeeld.

Daardoor is ook niet inzichtelijk waarom in de ene zaak wél, en in de andere zaak níet[441] verwevenheid wordt aangenomen. Soms lijkt het verwevenheidscriterium wat met de Raad op de loop te gaan.[442]

Soms blijft toetsing aan het verwevenheidscriterium achterwege en volstaat de Centrale Raad met de overweging dat ook de argumenten van de belanghebbende, neergelegd in het verweerschrift, bij de beoordeling in hoger beroep kunnen worden betrokken.[443]

Het is duidelijk dat de toepassing van het verwevenheidscriterium nauw verwant is met het samenhang- of verwevenheidscriterium, zoals dat aan de orde kwam bij de vraag of de toetsing zich dient te beperken tot de aangevochten onderdelen van een besluit (zie paragraaf 3.8). Ook hier heeft de toepassing van het criterium tot gevolg dat de rech-

---

437 CRvB 21 oktober 1999, AB 2000, 57 m.nt. HH (JB 1999, 305). Idem CRvB 27 juni 2002, JB 2002, 257 m.nt. EJdeL.

438 CRvB 21 februari 2001, AB 2001, 177 m.n.t. HBr.

439 CRvB 1 oktober 2002, RSV 2002, 312.

440 CRvB 21 oktober 1999, AB 2000, 57 m.nt. HH (JB 1999, 305).

441 Zoals in CRvB 1 oktober 2002, RSV 2002, 312.

442 In CRvB 30 maart 2000, TAR 2000, 65 motiveerde de Raad het ambtshalve toetsen aan een rechtsgrond van openbare orde met een beroep op het verwevenheidscriterium; een gekunstelde en overbodige constructie. Vgl. paragraaf 5.2.

443 CRvB 6 oktober 1998, RSV 1999, 43. Idem CRvB 4 maart 2003, USZ 2003, 116.

terlijke toetsing zich niet beperkt tot in het appelschrift aangevochten onderdelen van het besluit, maar dat in beginsel het gehele besluit wordt getoetst. Dit zal anders zijn wanneer een belanghebbende welbewust afziet van het in hoger beroep aan de orde stellen van bepaalde onderdelen van het besluit (c.q. van het oordeel daarover van de rechtbank).

Het bij de beoordeling betrekken van argumenten vermeld in het verweerschrift, hangt samen met het feit, zo is af te leiden uit de eerder geciteerde overweging, dat de belanghebbende zelf geen *belang* had om hoger beroep in te stellen, omdat zijn beroep door de rechtbank gegrond was verklaard.

Dat belanghebbende geen belang heeft om zelf hoger beroep in te stellen, is duidelijk wanneer hij in eerste aanleg door de rechtbank volledig en definitief in het gelijk is gesteld.

Zie bijvoorbeeld CRvB 4 januari 2000[444], waarin de rechtbank het bestreden besluit, waarin belanghebbende niet-ontvankelijk was verklaard wegens termijnoverschrijding in bezwaar, vernietigde. In deze situatie was er voor belanghebbende geen enkel belang om hoger beroep in te stellen, ook niet wanneer hij het met bepaalde aspecten van de door de rechtbank gevolgde redenering niet eens zou zijn. Het is dan ook terecht dat de appelrechter zich in deze zaak niet gebonden achtte aan overwegingen van de rechtbank ten nadele van belanghebbende, vanwege de enkele reden dat belanghebbende zelf geen hoger beroep had ingesteld.

Vaak gaat het echter om zorgvuldigheidsvernietigingen, waarna het bestuursorgaan een nieuw besluit op bezwaar moet nemen. Wanneer in de uitspraak van de rechtbank bepaalde argumenten van betrokkene al van tafel zijn geveegd en belanghebbende in zoverre reeds in het ongelijk is gesteld, zal het bestuursorgaan daarmee bij het nieuwe besluit op bezwaar geen rekening meer hoeven te houden. Bij een volgende rechterlijke toetsing van het nieuwe besluit op bezwaar, zo blijkt namelijk uit de jurisprudentie van de Centrale Raad, moeten de punten waarop de belanghebbende in het ongelijk is gesteld, in beginsel buiten beschouwing blijven.[445] In deze situatie heeft de belanghebbende derhalve wel degelijk belang bij het instellen van hoger beroep.

Neem de situatie waarin een belanghebbende beroep instelt tegen een terugvordering. De rechtbank acht het beroep gegrond voor wat betreft het argument van belanghebbende dat niet bruto maar netto moet worden teruggevorderd. Het besluit wordt op deze grond vernietigd en het bestuursorgaan wordt opgedragen een nieuw besluit op bezwaar te nemen. Het argument van betrokkene dat de ingangsdatum van de periode waarover teruggevorderd wordt, op een later tijdstip moet worden bepaald, wordt door de rechtbank verworpen. Het bestuursorgaan stelt hoger beroep in tegen het oordeel van de rechtbank over de bruto-nettokwestie. Wanneer het bestuursorgaan een nieuw besluit op bezwaar neemt, moet het oordeel van de recht-

---

444 CRvB 4 januari 2000, JB 2001, 54 m.nt. R.J.N.S.
445 CRvB 12 november 2003, JB 2004, 30 m.nt. C.L.G.F.H.A. en R.J.N.S.; CRvB 24 januari 2002, AB 2002, 140 m.nt. HBr.

bank over de ingangsdatum van de terugvorderingsperiode tot uitgangspunt worden genomen. De belanghebbende kan dit aspect niet weer aan de orde stellen wanneer hij opnieuw beroep instelt tegen het nieuwe besluit op bezwaar. Belanghebbende heeft derhalve wel belang bij het instellen van hoger beroep tegen de uitspraak van de rechtbank, ook al is zijn beroep (gedeeltelijk) gegrond verklaard.

Uit de rechtspraak is echter af te leiden dat ook in een situatie als deze de bezwaren van een belanghebbende tegen de uitspraak van de rechtbank, opgeworpen in het verweerschrift, in hoger beroep bij de toetsing kunnen worden betrokken.[446] Dus ook wanneer een belanghebbende wél belang heeft bij het instellen van hoger beroep, omdat zijn beroep weliswaar gegrond is verklaard, maar bepaalde argumenten van hem door de rechtbank wel zijn verworpen, accepteert de Centrale Raad incidenteel appel.

In het hiervoor gegeven voorbeeld: wanneer het bestuursorgaan hoger beroep instelt en de belanghebbende stelt in het verweerschrift opnieuw zijn argument aan de orde, dat de ingangsdatum van de terugvordering op een later tijdstip moet worden bepaald, is te verwachten dat de Centrale Raad dit bij de beoordeling in hoger beroep betrekken. Of dit vaste jurisprudentie is, is echter niet zeker.

Als uit het verweerschrift van de belanghebbende niets blijkt over bezwaren van zijn kant tegen de uitspraak van de rechtbank, zal de appelrechter waarschijnlijk niet ambtshalve door de rechtbank *verworpen* bezwaren van belanghebbende bij de toetsing in appel betrekken.

In dit opzicht is er een verschil met de positieve zijde van de devolutieve werking van het hoger beroep in het civiele recht, waarbij de appelrechter bij het slagen van een of meer grieven, zowel de door de rechtbank besproken gelaten als de door de rechtbank verworpen argumenten dient te beoordelen (vergelijk paragraaf 9.7).

9.10.1 Centrale Raad: uitzonderingen op hoofdregel

In een geval waarin de rechtbank weliswaar het bestreden besluit vernietigde, maar de rechtsgevolgen daarvan in stand liet (vergelijk art. 8:72 lid 3 Awb), oordeelde de Centrale Raad dat de belanghebbende zelf hoger beroep had moeten instellen om bezwaren tegen deze beslissing bij de appelrechter aan de orde te stellen. Betrokkene kon zijn bezwaren tegen die beslissing niet laten 'meeliften' met het hoger beroep van het bestuursorgaan.[447] De gedachte hierbij is kennelijk dat belanghebbende in deze situatie, waar hij in het *dictum* materieel in het ongelijk is gesteld, wél een zwaarwegend belang heeft om zelf hoger beroep in te stellen.

Dit blijkt overigens niet duidelijk uit de uitspraak. Daar is de overweging de volgende: '*De namens gedaagde bij verweerschrift aangevoerde grieven betreffen een ander onderdeel*

---

446 CRvB 4 maart 2003, JB 2003, 116.
447 CRvB 7 februari 2001, AB 2001, 178 m.nt. HBr.

van de uitspraak dan dat waartegen het hoger beroep van appellant zich richt. Nu deze grieven niet binnen de termijn van zes weken na verzending van de uitspraak kenbaar zijn gemaakt, is de Raad van oordeel dat gedaagde in zijn hoger beroep tegen dit onderdeel van de uitspraak niet-ontvankelijk moet worden verklaard.' Deze overweging is echter niet goed te rijmen met de hiervoor, in paragraaf 9.10 aangehaalde rechtspraak.

Vergelijkbaar hiermee zijn situaties waarin een verzoek om schadevergoeding – op de voet van art. 8:73 Awb – door de rechter in eerste aanleg, geheel of gedeeltelijk is afgewezen. Wanneer de belanghebbende zelf geen hoger beroep instelt, acht de Centrale Raad het niet mogelijk dat betrokkene dit alsnog in het verweerschrift bij de appelrechter aan de orde stelt.[448] Ook hier geldt dat de motivering van de betreffende uitspraken weinig verhelderend is. Deze luidt kortweg dat *'de Awb het rechtsmiddel van incidenteel appel in hoger beroep [niet kent], zodat het hoger beroep niet-ontvankelijk moet worden geacht.'*
Net als in de hiervoor besproken casus zal waarschijnlijk doorslaggevend zijn geweest dat de belanghebbende in het *dictum* op dit punt in het ongelijk was gesteld. In dat geval moet de belanghebbende zelf hoger beroep instellen om zijn bezwaar tegen de uitspraak van de rechtbank aan de appelrechter te kunnen voorleggen. Hij heeft dan immers een zwaarwegend belang om zelf hoger beroep in te stellen.
Ook wanneer het incidenteel appel zich richt tegen een *ander besluit* dan waartegen het hoger beroep zich richt, zal geen succes worden geboekt met het opwerpen van argumenten in het verweerschrift. Het gegeven dat de omvang van het geding in de eerste plaats bepaald wordt door de grenzen van het besluit, heeft immers tot consequentie dat incidenteel appel slechts mogelijk moet worden geacht voor zover het gaat om bezwaren die zich richten tegen hetzelfde besluit waartegen in het appelschrift wordt opgekomen. Bezwaren die door verweerder in het incidenteel appel worden opgeworpen tegen een ander besluit dan het oorspronkelijk bestreden besluit, zijn niet-ontvankelijk.

Zie bijvoorbeeld de zaak waar het bestuursorgaan hoger beroep instelde tegen een beslissing van de rechtbank over *invordering* van onverschuldigd betaalde uitkering, terwijl de in het verweerschrift opgeworpen bezwaren van belanghebbende betrekking hadden op de *terugvordering* daarvan.[449] Hoewel dit niet expliciet in de uitspraak is overwogen, is de crux m.i. dat terugvordering en invordering als afzonderlijke besluiten – want gericht op afzonderlijke rechtsgevolgen – moeten worden aangemerkt (vergelijk paragraaf 2.7).

Het spreekt wel vanzelf dat bezwaren van een belanghebbende die door de rechtbank niet-ontvankelijk is geacht in zijn beroep, niet in het verweerschrift van een *andere belanghebbende partij* in hoger beroep naar voren kunnen worden gebracht.[450] Hier is in de eerste plaats de regel toe te passen, dat wanneer in het dictum van de uitspraak van de rechtbank belanghebbende geheel of gedeeltelijk in het ongelijk is gesteld, hij zélf

448 CRvB 7 januari 2001, AB Kort 2003, 260; CRvB 13 mei 1996, JB 1996, 153 m.nt. R.J.G.H.S.; CRvB
     2 september 1997, JB 1997, 239; CRvB 13 mei 1996, RSV 1996, 229.
449 CRvB 21 februari 2001, AB 2001, 177 m.nt. HBr bij 178.
450 CRvB 7 maart 1997, JB 1997, 134

hoger beroep zal moeten instellen om zijn bezwaren daartegen aan de appelrechter voor te leggen. Het past ook niet in het systeem van de Awb om mee te liften op het beroep- of verweerschrift van een andere partij.

9.10.2 Centrale Raad: incidenteel appel door het bestuursorgaan

Tot nu toe ging het telkens om uitspraken waarin het bestuursorgaan hoger beroep instelde, en een belanghebbende in zijn verweerschrift nog met eigen bezwaren tegen de uitspraak van de rechtbank kwam. Het omgekeerde is echter ook mogelijk: belanghebbende stelt hoger beroep in en het *bestuursorgaan* komt in het verweerschrift nog met bezwaren. De rechtspraak van de Centrale Raad van Beroep is op dit punt niet eenduidig. Er zijn uitspraken waarin de Centrale Raad door het bestuursorgaan in het verweerschrift opgeworpen nieuwe bezwaren niet aanvaardt.

De rechtbank had het beroep van belanghebbende tegen een besluit tot weigering van ziekengeld ongegrond verklaard. De rechtbank had daarbij weigeringsgrond A onjuist geacht, doch de rechtsgevolgen van het besluit in stand gelaten omdat de (later toegevoegde) weigeringsgrond B wel juist was. Belanghebbende voert in zijn appelschrift bezwaren aan tegen het oordeel van de rechtbank over grond B. Het bestuursorgaan wenst vervolgens in zijn verweerschrift alsnog het oordeel van de rechtbank over grond A aan de orde te stellen. Daar wil de Raad echter niet aan: *'Dat hoger beroep is immers ingesteld na het verstrijken van de beroepstermijn, terwijl de Awb, zoals de raad eerder heeft overwogen, het rechtsmiddel van incidenteel beroep niet kent.'*[451]

In andere gevallen blijkt de Raad echter wel bereid om in het verweerschrift door het bestuursorgaan opgeworpen bezwaren bij zijn beoordeling te betrekken. Soms wordt ook incidenteel appel door het bestuursorgaan derhalve geaccepteerd.[452]
De Centrale Raad blijkt daarbij soms zo ver te gaan, dat het bestuursorgaan in zijn verweerschrift in hoger beroep ook met een *nieuwe motivering* voor het bestreden besluit mag komen. Die nieuwe motivering betrekt de Raad dan bij de toetsing van het bestreden besluit.

De WW-uitkering van belanghebbende werd aanvankelijk geweigerd op grond X. Het door belanghebbende hiertegen gerichte beroep werd door de rechtbank ongegrond verklaard. Vervolgens stelt belanghebbende hoger beroep in. In het verweerschrift stelt het bestuursorgaan zich op het standpunt dat het hoger beroep inderdaad gegrond is, omdat weigeringsgrond X ondeugdelijk was. De WW-uitkering is echter volgens het bestuursorgaan wel terecht geweigerd, en wel vanwege weigeringsgrond Y. De Centrale Raad beoordeelt vervolgens het besluit op grond van weigeringsgrond Y.[453]

451 CRvB 1 oktober 1997, AB 1998, 25.
452 CRvB 27 mei 1998, Rabw 1998, 146 m.nt. BdW.
453 CRvB 26 januari 1999, JB 1999, 54 m.nt. R.J.S.N.

Bij deze rechtspraak zijn vraagtekens te plaatsen. De vraag is met name of de Centrale Raad hier niet treedt buiten de grenzen van het oorspronkelijke bestreden besluit. Die grenzen vormen immers steeds de buitengrenzen van de rechterlijke toetsing.

Op zich zelf is het positief te achten, zoals annotator Schlössels opmerkt, dat de Raad kennelijk streeft naar een materiële beslechting van het geschil, zodat zich geen nodeloze vertraging en rechtsonzekerheid voor belanghebbende voordoet. De door de Raad gekozen oplossing past echter minder goed in het systeem van hoger beroep. Een zelfde resultaat had kunnen worden bereikt wanneer het bestuursorgaan een nieuw besluit had genomen, dat de Raad op grond van de artt. 6:18 en 6:19 Awb bij zijn beoordeling had kunnen betrekken. Vergelijk over deze problematiek paragraaf 2.7.

9.11 Afdeling bestuursrechtspraak: geen incidenteel appel

In een aantal uitspraken heeft de Afdeling bestuursrechtspraak overwogen dat voorbij wordt gegaan aan in het verweerschrift opgeworpen bezwaren, omdat de wet niet in het rechtsmiddel van incidenteel appel voorziet.[454]

Zeker in het licht van de rechtspraak van de Centrale Raad is dit niet zo'n overtuigende motivering. De vraag is immers of, ondanks het feit dat de wet[455] niet voorziet in incidenteel appel, de appelrechter toch met een soort van buitenwettelijk incidenteel appel zou moeten werken. Op die vraag heeft de Afdeling geen gemotiveerd standpunt ingenomen.

Derhalve moet worden aangenomen dat de Afdeling geen incidenteel appel accepteert.[456] Ook het College van Beroep voor het bedrijfsleven volgt deze lijn.[457] In het verweerschrift opgeworpen bezwaren worden dus niet bij de toetsing betrokken.
Er zijn echter ook enkele uitspraken waarin de Afdeling overweegt dat de in het verweerschrift opgeworpen bezwaren niet aan de orde kunnen komen, omdat geen sprake is van een onlosmakelijke samenhang tussen de beslissing waartegen het hoger beroep zich richt, en de in het verweerschrift aangevochten beslissing.[458] Deze overweging is mogelijk geïnspireerd door de hiervoor in paragraaf 9.10 aangehaalde uitspraken van de Centrale Raad van Beroep. Er zijn mij echter geen gepubliceerde uitspraken bekend waarin dit criterium ertoe leidt dat incidenteel appel wordt geaccep-

---

454 ABRS 27 november 2002, AB 2003, 67 m.nt. A.T. Marseille; ABRS 20 november 2002, AB 2003, 104 m.nt. NV; ABRS 12 december 2001, AB 2002, 61 m.nt. NV; ABRS 15 november 2001, AB 2002, 54 m.nt. Sew; ABRS 8 januari 1999, AB 1999, 399 m.nt. dG.

455 Abusievelijk wordt in AB 2002, 61 terzake verwezen naar de Awb; bedoeld zal echter zijn de Wet op de Raad van State, zoals ook de annotator opmerkt.

456 Soms ook zonder nadere motivering, zie bijv. ABRS 6 juni 1996, JB 1996, 173 m.nt. JMED.

457 CBB 4 september 2003, AB Kort 2003, 623. Mogelijk anders CBB 27 mei 2003, AB Kort 2003, 461.

458 ABRS 26 februari 1998, Gst. 7085, nr. 8 m.nt. Teunissen. Vgl. ook ABRS 6 januari 2002, JB 2000, 25 m.nt. RJNS. Zie voorts de niet gepubliceerde uitspraak aangehaald in R.J.G.M. Widdershoven e.a., *Algemeen bestuursrecht 2001: hoger beroep*, Den Haag 2001, p. 102.

teerd. Het is dan ook zeer de vraag of er situaties zouden zijn waarin de Afdeling wél in het verweerschrift opgeworpen bezwaren bij haar beoordeling zou betrekken.

Overigens ging het in de meeste van de uitspraken waarin de Afdeling de mogelijkheid van incidenteel appel verwierp, om situaties waarin gedaagde in hoger beroep in het dictum op een bepaald punt in het ongelijk was gesteld.[459] In die situaties is, zoals hiervoor aan de orde kwam, ook de Centrale Raad van oordeel dat gedaagde dan zélf hoger beroep dient in te stellen, en zijn eigen bezwaren tegen de uitspraak van de rechtbank niet in het verweerschrift aan de orde kan stellen.

Dat de Afdeling bestuursrechtspraak geen incidenteel appel toestaat, levert voor een belanghebbende een processuele valkuil op in het geval hij in het dictum van de uitspraak van de rechtbank in het gelijk is gesteld – en hij zich om die reden 'winnaar' van de procedure waant – terwijl de uitspraak van de rechtbank wel nadelige overwegingen voor hem bevat. Sinds kort is namelijk ook de Afdeling bestuursrecht, net als de Centrale Raad van Beroep, in die situatie van oordeel dat de rechter bij de beoordeling van het nieuwe besluit op bezwaar, in beginsel dient uit te gaan van de juistheid van het in de eerdere uitspraak gegeven oordeel, voor zover daarin argumenten van de belanghebbende reeds zijn verworpen.[460]

> Vereist is dat het gaat om *'uitdrukkelijk en zonder voorbehoud verworpen gronden'*. Hiermee is de andersluidende zogenoemde Amicitia-rechtspraak verlaten.[461]

De nadelen die verbonden zijn aan de jurisprudentie van de Afdeling bestuursrechtspraak, hebben de Commissie Boukema ertoe gebracht te pleiten voor de invoering van een vorm van incidenteel hoger beroep in het bestuursrecht.[462]

> In het nieuwe belastingrecht in twee feitelijke instanties is, conform deze aanbeveling, incidenteel appel mogelijk gemaakt.[463]

9.12 Samenvatting

Over de omvang van de toetsing in hoger beroep bestaat op verschillende punten verschil van inzicht tussen de Centrale Raad van Beroep en de Afdeling bestuursrechtspraak. In de eerste plaats zijn de appelcolleges het niet eens over het onderwerp van de toetsing in hoger beroep. Volgens de Centrale Raad is dat het bestreden besluit en volgens de Afdeling bestuursrechtspraak is dat de uitspraak van de rechtbank.

---

459 ABRS 6 juni 1996, JB 1996, 173 m.nt. JMED.
460 ABRS 6 augustus 2003, AB 2003, 355 m.nt. P.A. Willemsen, en RW (JB 2003, 216 m.nt. C.L.G.F.H.A. en R.J.N.S.). Zie nader C.L.G.F.H. Albers, R.J.N. Schlössels, Verdichting van de rechtsstrijd en de kunst van het appelleren. in: *Gemeentestem* (2003) p. 647-658.
461 ABRS 23 maart 1995, AB 1996, 262 m.nt. PvB (JB 1995, 104); laatstelijk herhaald in ABRS 23 oktober 2002, AB 2003, m.nt. P.A. Willemsen en RW.
462 Commissie Evaluatie Awb II, *Algemeen bestuursrecht 2001: toepassing en effecten van de Algemene wet bestuursrecht 1997-2001*, Den Haag 2002, p. 38-39.
463 TK 2003-2004, 29 251, nr. 3 p. 10 (art. 27m).

De Afdeling bestuursrechtspraak beperkt de reikwijdte van het hoger beroep in beginsel tot de aangevallen onderdelen van de uitspraak. Eventuele bezwaren van de niet-appellerende partij, neergelegd in het verweerschrift, worden niet bij de beoordeling betrokken.

De Centrale Raad van Beroep gaat bij de reikwijdte van het hoger beroep uit van de in hoger beroep aangevochten onderdelen van het bestreden besluit. Door toepassing van het samenhangcriterium ligt ook in hoger beroep in beginsel het gehele besluit ter toetsing voor, tenzij appellant zich uitdrukkelijk beperkt tot bepaalde onderdelen van het bestreden besluit (c.q. van de uitspraak van de rechtbank).

De Centrale Raad betrekt bij zijn beoordeling in beginsel ook eventuele bezwaren van belanghebbende tegen de uitspraak van de rechtbank, die blijken uit het verweerschrift. Daarmee is sprake, anders dan in de rechtspraak van de Afdeling, van een buitenwettelijk (soort van) incidenteel appel. Een uitzondering geldt wanneer de belanghebbende in het dictum van de uitspraak van de rechtbank op een bepaald punt in het ongelijk is gesteld. In dat geval moet hij daartegen zelf hoger beroep instellen en kan hij zijn bezwaren niet laten meeliften met het hoger beroep van het bestuursorgaan.

Wanneer het bestuursorgaan nalaat zelf hoger beroep in te stellen, maar in het verweerschrift alsnog bezwaren tegen de uitspraak van de rechtbank aanvoert, voert de Centrale Raad geen consequente lijn. Dergelijke bezwaren worden soms wel en soms niet bij de toetsing in hoger beroep betrokken.

Verder blijkt dat in het hoger beroep bij de Centrale Raad van Beroep de herkansing voor de belanghebbende centraal staat. Dit betekent dat als uitgangspunt geldt dat in hoger beroep fouten of verzuimen van de belanghebbende kunnen worden hersteld. Tot op zekere hoogte geldt dit ook voor het bestuursorgaan.

De Afdeling bestuursrechtspraak accepteert geen herkansing in hoger beroep. In de Afdelingsjurisprudentie geldt het trechtermodel, waardoor nieuwe argumenten en nieuwe stukken in hoger beroep in beginsel niet worden geaccepteerd.

HOOFDSTUK 10
Slotbeschouwing

10.1 Gebrekkige motivering en geen uniforme uitleg

Wanneer we de balans opmaken van de jurisprudentie die sinds de inwerkingtreding van de Awb is gevormd over art. 8:69 Awb, springen twee zaken het meest in het oog. Dat is in de eerste plaats de gebrekkige *motivering* van veel rechterlijke uitspraken. De motivering behoort inzicht te geven in de gedachtegang die ten grondslag ligt aan de uitspraak (vergelijk paragraaf 7.5). Juist op dit punt is de rechtspraak over art. 8:69 Awb – vooral die van de Afdeling bestuursrechtspraak – vaak onder de maat. Uit veel van de uitspraken is niet goed op te maken hoe precies toepassing is gegeven aan art. 8:69 Awb. Verder zijn keuzes die in de rechtspraak zijn gemaakt – vaak in afwijking van de wetsgeschiedenis van de Awb – niet of nauwelijks gemotiveerd.

Voor zover al sprake is van wat uitvoeriger motiveringen, geldt dat deze niet consequent worden toegepast. Soms lijkt in een uitspraak sprake te zijn van een meer principiële, richtinggevende overweging, maar in andere uitspraken wordt even zo gemakkelijk weer een andere koers gevaren. Door het gebrek aan een inzichtelijke motivering is op veel punten sprake van onzekerheid over de precieze toepassing van art. 8:69 Awb. Dit is nadelig voor de rechtzoekenden, die niet weten waar zij aan toe zijn, en lastig voor de rechtspraak in eerste aanleg, die geen duidelijk richtsnoer heeft. De gebrekkige motivering leidt bovendien tot afkalving van het draagvlak voor de bestuursrechtelijke rechtspraak. Hier ligt een belangrijke taak voor de bestuursrechtelijke appelcolleges: het verbeteren van de kwaliteit van de motivering van uitspraken.

In de tweede plaats valt op dat er geen *uniformiteit* is bij de uitleg en toepassing van art. 8:69 Awb. Vooral de rechtspraak van enerzijds de Centrale Raad van Beroep en anderzijds die van de Afdeling bestuursrechtspraak van de Raad van State lopen uiteen op vrijwel alle aspecten van de omvang van het geding. Daarbij gaat het niet alleen om fundamentele kwesties als de inhoud van de rechterlijke plicht tot het aanvullen van rechtsgronden (lid 2), de rechterlijke bevoegdheid tot het aanvullen van feiten (lid 3) of de omvang van de toetsing in hoger beroep. Ook op meer overzichtelijke en concrete vragen, bijvoorbeeld of voor het eerst in hoger beroep een verzoek om schadevergoeding ex art. 8:73 Awb mag worden gedaan, geven de appelcolleges een verschillend antwoord.

Heel kort samengevat: er is sprake van een bestuursprocesrecht van twee gestrengheden.[464] Een soepel procesrecht bij de Centrale Raad van Beroep, waarin het zoeken naar materiële waarheid en het bieden van ongelijkheidscompensatie aan de burger nog steeds uitgangspunt is. En een 'winterse benadering' van de Afdeling bestuursrecht-

---

464 Overigens niet alleen bij de toepassing van art. 8:69 Awb: zie L.J.A. Damen, Helpt de Centrale Raad van Beroep Jan Splinter door de bestuursrechtelijke winter? in: *Centrale Raad van Beroep 1903-2003* (red. R.M. van Male e.a.), Utrecht 2003, p. 243-260.

spraak[465], waarin steeds hogere eisen worden gesteld aan de processuele inbreng van de burger. Deze tweedeling is terug te vinden bij de beantwoording van bijna alle vragen die betrekking hebben op de omvang van het geding.

10.2 Biedt differentiatie uitkomst?

Door sommigen is gesuggereerd dat het gebrek aan uniformiteit niet als een probleem hoeft te worden beschouwd. Waarom zou het eigenlijk noodzakelijk zijn dat een wettelijke bepaling steeds op één en dezelfde manier wordt uitgelegd? Heeft het streven naar eenheid niet iets geforceerds, iets krampachtigs? Een verschillende uitleg van het procesrecht door de appelcolleges zou gelegitimeerd zijn, omdat de Afdeling bestuursrechtspraak met andersoortige geschillen te maken heeft, namelijk geschillen waarbij de belangen van derden betrokken zijn (bijvoorbeeld in het ruimtelijke-ordeningsrecht).

> Aldus Konijnenbelt, die pleit voor een gedifferentieerd stelsel van rechtsbescherming en de tijd rijp acht om *'de eenzijdige nadruk op de eenheid-tegen-elke prijs van het algemeen bestuursrecht'* achter ons te laten.[466]
> Vergelijk ook het voorstel van de onderzoeksgroep die het hoger beroep heeft geëvalueerd – overgenomen door de Commissie Boukema – tot differentiatie in hoger beroep (paragraaf 9.5.2).

Op zich zelf is het juist dat de wijze waarop rechtsregels worden toegepast en uitgelegd, afhankelijk kan zijn van de omstandigheden van het geval. Zo kan rekening worden gehouden met de hoedanigheid van partijen, de aanwezigheid van een procesgemachtigde, de betrokkenheid van een derde-belanghebbende in de procedure, de aard van het geschil en andere bijzondere omstandigheden van het geval. De vraag is echter of dit ook voor regels van *procesrecht* zou moeten gelden, nu het procesrecht vooral ook houvast en duidelijkheid moet bieden aan zowel rechtzoekenden als de rechter, voor het bepalen van het verloop van de rechterlijke procedure. Een gedifferentieerd stelsel van procesrecht is hiermee moeilijk te verenigen.

Daarbij komt dat een gedifferentieerd stelsel alleen maar hogere eisen stelt aan de motivering van rechterlijke uitspraken. Duidelijk moet immers zijn waarom in een bepaald geval voor een bepaalde uitleg of toepassing van de betreffende rechtsregel is gekozen. Uit de motivering van de rechterlijke uitspraken over art. 8:69 Awb blijkt echter helemaal niet of, en zo ja, op welke wijze, rekening is gehouden met aspecten zoals hiervoor genoemd. Zo blijkt dat het strenge trechtermodel door de Afdeling regelmatig wordt toegepast in geschillen waarin juist níet sprake is van de betrokkenheid van belangen van derden – zoals bijvoorbeeld procedures over de terugvordering van huursubsidie of de weigering tot verlening van een toevoeging –, maar die sterk lijken op die waarover de Centrale Raad van Beroep oordeelt. Daarentegen is de Afdeling

---

465 Zie vorige noot.
466 W. Konijnenbelt, Bestuursprocesrecht: Jozefs rok? in: *NTB* (2003) p. 1-4.

bestuursrechtspraak in ruimtelijke-ordeningszaken – waar wél de belangen van derden spelen – juist royaal met het aanvullen van rechtsgronden. Kortom, het is volstrekt onzeker of de betrokkenheid van belangen van derden voor de Afdeling bestuursrechtspraak van belang is bij de toepassing van het trechtermodel.

Onder deze omstandigheden kan wel worden gesteld dat een gedifferentieerd stelsel van rechtsbescherming in de huidige situatie hoe dan ook een brug te ver is. Aan 'legitieme verscheidenheid'[467] in rechtspraak kan pas worden toegekomen wanneer op inzichtelijke wijze wordt gemotiveerd waarom in een concreet geval op een bepaalde wijze toepassing wordt gegeven aan art. 8:69 Awb.

10.3 Verschil in visie op taak bestuursrechter

De vraag is bovendien of de verschillen in de toepassing en uitleg van art. 8:69 Awb niet duiden op een dieper liggend verschil in opvatting, namelijk over wat eigenlijk de taak van de bestuursrechter is. Hierbij moet worden bedacht dat art. 8:69 Awb in feite de kernbepaling van het gehele bestuursprocesrecht is: wat is de omvang – reikwijdte en inhoud – van de door de rechter uit te voeren toetsing van het bestreden besluit? Verschillen van inzicht over art. 8:69 Awb hebben dan ook een groter belang dan een verschillende beantwoording van bijvoorbeeld de vraag wanneer sprake is van een verschoonbare termijnoverschrijding (art. 6:11 Awb). Het bagatelliseren van verschillen in de wijze van toepassing van art. 8:69 Awb, lijkt mij dan ook misplaatst.

Art. 8:69 Awb heeft onmiskenbaar een rechtspolitieke dimensie. Het zou naïef zijn daaraan voorbij te gaan.

Het is geen toeval dat de kritiek van de werkgroep Van Kemenade zich ook op dit artikel richtte. Deze werkgroep was van mening dat sprake was van een te grote zeggenschap van de rechter in het openbaar bestuur, en wel ten nadele van het bestuur. Vanuit die visie werd voorgesteld om zowel lid 2 als lid 3 van art. 8:69 Awb af te schaffen, omdat deze bepalingen de rechter te veel ruimte zouden geven om het beroep van een belanghebbende te verbeteren, aan te scherpen of te verruimen, ten nadele van het bestuur.[468]

Het verschil in visie op de taak van de bestuursrechter blijkt het duidelijkst op het punt van de *ongelijkheidscompensatie* aan de rechtzoekende burger. Het bieden van ongelijkheidscompensatie is door de wetgever, in ieder geval bij de uitleg van art. 8:69 lid 3 Awb, als een richtinggevend beginsel beschouwd (vergelijk paragraaf 6.2).

Zowel door het trechtermodel als door het teruggedrongen belang van materiële waarheidsvinding, is in de rechtspraak van de Afdeling bestuursrechtspraak weinig meer te bespeuren van ongelijkheidscompensatie.[469] Daar waar de Centrale Raad van Beroep

467 Zie vorige noot.
468 J.A. van Kemenade e.a., *Bestuur in geding*, Haarlem 1997, p. 89-90.
469 Zie hierover nader R.J.N. Schlössels, Ongelijkheidscompensatie in het bestuursproces. Mythe of vergeten rechtsbeginsel? in: *De rechter bewaakt: over toezicht en rechters*, (red. P.P.T. Bovend'Eert e.a.), Deventer 2003, p. 139-164

wel actief aan waarheidsvinding doet en geen beletselen opwerpt voor de belanghebbende om in de loop van de procedure nieuwe stellingen of stukken in het geding te
brengen, speelt ongelijkheidscompensatie in de jurisprudentie van de Centrale Raad
nog steeds een belangrijke rol.

Uit de rechtspraak van de Afdeling is helaas niet af te leiden of zij de notie van ongelijkheidscompensatie achterhaald acht. Wellicht is de Afdeling van mening dat de verhouding tussen enerzijds burger en anderzijds overheid niet meer als ongelijkwaardig
kan worden beschouwd, zodat er geen aanleiding is voor het bieden van ongelijkheidscompensatie. In dat geval zou moeten worden aangenomen dat de Afdeling de 'wederkerige rechtsbetrekking' tussen bestuur en burger al heeft omarmd (vergelijk paragraaf
2.10). Niet goed te verklaren is dan echter dat de jurisprudentie van de Afdeling, zoals
door velen is gesignaleerd, zo vaak nadelig uitvalt voor de rechtzoekende burger en
voordelig voor het bestuursorgaan.

Mogelijk is echter ook dat de Afdeling minder gewicht toekent aan de *individuele rechtsbescherming*, die door de wetgever als de primaire doelstelling van de Awb is bestem-
peld.[470] Een aanwijzing daarvoor is dat de Afdeling haar taak zelf als volgt heeft
omschreven: *het uitoefenen van controle op de grenzen van de bevoegdheid van het bestuur; de
bestuursrechter is geen scheidsrechter maar grensrechter.*[471] Hoewel niet echt duidelijk is wat
hiermee precies wordt bedoeld, valt het op dat met geen woord gerept wordt over het
bieden van rechtsbescherming aan de burger. Het feit dat de Afdeling de bestuursrechter als grensrechter kwalificeert, kan erop wijzen dat de Afdeling het níet als haar taak
beschouwt om per geval te beoordelen 'wie er gelijk heeft' (zoals een scheidsrechter
doet), met andere woorden: of het door het bestuursorgaan genomen besluit recht doet
aan de materiële rechtspositie van de individuele rechtzoekende. De taak van de bestuursrechter als grensrechter beperkt zich tot controle van het speelveld van het bestuursorgaan. De rechter beoordeelt dan slechts of de voor het bestuursorgaan gelden-
de grenzen niet zijn overschreden. Daarmee lijkt bij de Afdeling sprake te zijn van een
fundamenteel gewijzigde visie op bestuursrechtspraak. Rechtsbescherming in het individuele geval heeft plaats gemaakt voor een soort marginale toetsing van besluiten.

> Zie in dit verband ook de uiteenzettingen van Schreuder-Vlasblom, waarin een rela-
> tivering van de rechtsbeschermingsgedachte is te lezen: *'Dit ook verklaart de aandui-
> ding 'rechtsbescherming tegen de overheid' (...) Die visie spreekt niet aan waar het bestuur
> bemiddelt tussen tegenstrijdige belangen van bepaalde burgers of staat tegenover een wel zo ster-
> ke partij. Maar ook waar ze wel aan kan spreken, verliest ze, door haar fixatie op individuele
> zaken, licht aard en zin van de bestuurstaak uit het oog.'* En: *'De ambitie kan niet gericht zijn
> op optimale billijkheid per geval, maar op een voor ieder grosso modo met geven en nemen aan-
> vaardbare modus vivendi'.*[472]

---

470   Zie o.a. PG Awb II, p. 174 (MvT).
471   Raad van State, *Jaarverslag 2000*, Den Haag 2001, p. 23-24. Zie hierover nader R.H. de Bock, De rech-
      ter als scheidsrechter of grensrechter? Waarom bestuursrechtspraak geen voetbal is, in: *De taakopvatting
      van de rechter*, A.F.M. Brenninkmeijer (red.), Leiden 2003, p. 101-109.
472   M. Schreuder-Vlasblom, *Rechtsbescherming en bestuurlijke voorprocedure*, Deventer 2003, p. 27 en p. 195.

Ten slotte kan er niet aan voorbij worden gegaan dat de Afdeling kennelijk zeer veel – misschien zelfs: doorslaggevend – belang toekent aan het zo spoedig mogelijk afdoen van procedures. Kenmerkend voor de wijze waarop toepassing wordt gegeven aan art. 8:69 Awb (denk bijvoorbeeld aan de sterk teruggedrongen rol van de zitting) is immers steeds dat de rechter zich terughoudend opstelt, waardoor geen extra werkzaamheden hoeven te worden verricht en een zaak sneller kan worden afgedaan. Ook de vaak summiere motivering van uitspraken duidt erop dat voor de Afdeling een snelle afdoening voorop staat.

10.4 Eerherstel voor vrouwe Justitia

In een belangrijk deel van de bestuursrechtelijke rechtspraak is weinig meer terug te zien van de idealen die in een niet zo ver verleden ten grondslag lagen aan de Awb.
Voor een deel is dit wellicht terug te voeren op de personele bezetting van de Afdeling bestuursrechtspraak, waar gedeeltelijk nog steeds sprake is van 'lekenrechtspraak'[473] door oud-politici en voormalige ambtenaren. Daaruit zou verklaarbaar zijn dat er minder affiniteit is met het bieden van ongelijkheidscompensatie aan de rechtzoekende burger, en dat het bieden van individuele rechtsbescherming op het tweede plan is geraakt.
Maar misschien moeten we ook constateren dat de Awb de rechter te veel vrijheid heeft gegeven. Nicolai voorzag al spanningen in het huwelijk tussen dominus litis (een actieve rechter met tal van discretionaire bevoegdheden) en vrouwe Justitia (die staat voor rechtvaardigheid in het individuele geval). Een overwerkte dominus litis zal zijn huwelijksverplichtingen jegens vrouwe Justitia niet kunnen nakomen en een dominus litis die het er maar bij laat hangen, zal zijn vrouwe Justitia tot tranen brengen.[474] Juist de rechtspraak over art. 8:69 Awb heeft deze spanningen aan de oppervlakte gebracht, nu dit artikel de bestuursrechter maximale ruimte biedt om naar eigen inzicht invulling te geven aan haar rechterlijke taakopvatting. Daarbij komt natuurlijk dat er in het bestuursrecht geen cassatierechter is, die op gezette tijden de nalatige dominus litis terugfluit.
Waar de bestuursrechter wordt geconfronteerd met de afdoening van steeds meer zaken en met politieke druk om het bestuur niet teveel voor de voeten te lopen, en bovendien zelf invulling mag geven aan haar discretionaire bevoegdheden, was vrouwe Justitia wellicht van meet af aan gedoemd het onderspit te delven.
Dé uitdaging voor de bestuursrechtspraak is hoe in de komende jaren eerherstel aan vrouwe Justitia kan worden geboden.

---

473 L.J.A. Damen, In *Kleyn* komt de Raad van State met een rood-wit-blauwe oog weg. Cherchez la France!, in: *Ars Aequi* (2003) p. 652-660, p. 660.
474 P. Nicolai, Het nieuwe procesrecht, in: *Het nieuwe procesrecht* (VAR-reeks 112), Alphen aan den Rijn 1994, p. 146.

JURISPRUDENTIEREGISTER

Afdeling bestuursrechtspraak van de Raad van State

Centrale Raad van Beroep

College van beroep voor het bedrijfsleven

Hof van Justitie van de Europese Gemeenschappen

Hoge Raad

Rechtbank